THETAHEALING®

DIGGING – CAVANDO PARA ENCONTRAR CRENÇAS

Vianna Stibal

THETAHEALING®

DIGGING – CAVANDO PARA ENCONTRAR CRENÇAS

Tradução:
Giti Bond e Gustavo Barros

MADRAS®

Publicado originalmente em inglês sob o título *ThetaHealing – Digging for Beliefs*, por Hay House.
© 2019 Vianna Stibal.
Direitos de edição e tradução para o Brasil.
Tradução autorizada do inglês.
© 2025, Madras Editora Ltda.

Editor:
Wagner Veneziani Costa (*in memoriam*)

Produção e Capa:
Equipe Técnica Madras

Tradução:
Giti Bond e Gustavo Barros

Revisão:
Maria Cristina Scomparini

**Dados Internacionais de Catalogação na Publicação
(CIP)(Câmara Brasileira do Livro, SP, Brasil)**

Stibal, Vianna
ThetaHealing digging: cavando para encontrar crenças/Vianna Stibal; tradução Giti Bond e Gustavo Barros. – São Paulo: Madras, 2025.
Título original: ThetaHealing digging for beliefs: how to rewire your subconscious thinking for deep inner healing
5 ed

ISBN 978-85-370-1226-0

    1. Autorrealização (Psicologia) 2. Cura espiritual
    3. Medicina energética 4. Meditação I. Título.

19-29474   CDD-615.8

    Índices para catálogo sistemático:
    1. Cura energética: Terapia holística   615.8
    Cibele Maria Dias – Bibliotecária – CRB-8/9427

É proibida a reprodução total ou parcial desta obra, de qualquer forma ou por qualquer meio eletrônico, mecânico, inclusive por meio de processos xerográficos, incluindo ainda o uso da internet, sem a permissão expressa da Madras Editora, na pessoa de seu editor (Lei nº 9.610, de 19/2/1998).

Todos os direitos desta edição, em língua portuguesa, reservados pela

MADRAS EDITORA LTDA.
Rua Paulo Gonçalves, 88 – Santana
CEP: 02403-020 – São Paulo/SP
Tel.: (11) 2281-5555 – (11) 98128-7754
www.madras.com.br

Índice

Lista de Exercícios 7
Prefácio 9
Notas do Leitor 11
Introdução: A Psicologia do ThetaHealing 13
Capítulo 1 – A Técnica Theta 19
Capítulo 2 – Teste de Energia 36
Capítulo 3 – Trabalho de Crenças e Digging – Passado, Presente e Futuro 41
Capítulo 4 – Os Princípios do Digging 59
Capítulo 5 – Cinco Passos Básicos para o Digging e Trabalho de Crenças 83
Capítulo 6 – As Dez Formas de Realizar o Digging (Ou Atalhos) 91
Conclusão – Sendo um Curador 141
Glossário 143
Referências 149
Recursos 151
Sobre a Autora 155
Sobre os Tradutores 157

Veja o glossário para os termos em **negrito**

Lista de Exercícios

Meditação Caminho à Energia de Tudo
o Que É (versão estendida) 21
Leitura 23
Cura 24
Processo de Mudança de Crenças 27
Processo do Trabalho de Sentimentos 32
Métodos de Teste de Energia 36
Trabalho de Crenças – Método 1 78
Trabalho de Crenças – Método 2 79
Exercício da Virtude 138

Prefácio

O ThetaHealing é uma filosofia e um **sistema de cura** completo, que pode ser usado para mudar crenças autolimitantes e para aprimorar crenças positivas, e também pode ser utilizado como instrumento de autoconhecimento e desenvolvimento espiritual para o benefício da humanidade.

Este livro foi feito como um guia de aprofundamento ao digging para o trabalho de crenças e como acompanhamento aos livros *ThetaHealing, ThetaHealing Avançado, ThetaHealing Doenças e Desordens* e *Planos da Existência*.*

No primeiro livro, *ThetaHealing*, eu explico o passo a passo do processo de leitura, cura, **trabalho de crenças, trabalho de sentimentos, digging e trabalho genético** do ThetaHealing, e ofereço uma introdução aos **planos da existência** e também um conhecimento adicional ao iniciante.

No livro seguinte, *ThetaHealing Avançado*, ofereço um guia mais aprofundado para o trabalho de crenças e de sentimentos, para o digging, e também *insights* mais profundos aos planos da existência e às crenças as quais acredito serem essenciais para a evolução espiritual. O *ThetaHealing Avançado* é uma expansão do primeiro livro, *ThetaHealing*, enquanto o livro *Planos da Existência* define a filosofia do ThetaHealing.

---

*N.E.: Obras publicadas pela Madras Editora.

É necessário ter entendimento do processo que é dado no livro *ThetaHealing* para utilizar totalmente a prática do digging descrita neste livro. De qualquer maneira, você vai encontrar uma descrição do processo do ThetaHealing nos capítulos 1 e 2 e no Glossário. Tudo isso poderá ser útil caso seja iniciante do ThetaHealing.

As técnicas de cura energética usadas neste Livro são totalmente explicadas nos livros *ThetaHealing* e *ThetaHealing Avançado* com as práticas de meditação usando as **ondas cerebrais Theta**, as quais eu acredito criar cura física, psicológica e espiritual. Enquanto estivermos no puro e divino estado de mente Theta, somos capazes de nos conectar com o **Criador de Tudo o Que É**, por meio de oração focada. O Criador nos deu esse conhecimento fascinante que você está prestes a receber. Ele mudou a minha vida, assim como a vida de muitas outras pessoas.

Entretanto, existe um pré-requisito que é absoluto no ThetaHealing e com as técnicas descritas neste livro: você deve ter uma crença central em uma energia que flui através de todas as coisas. Alguns podem chamá-la de "Criador de Tudo o Que É", "Criador" ou "Deus". Com estudo e prática, qualquer pessoa pode fazê-lo; qualquer um que acredite em Deus ou na essência de Tudo o Que É, que flui em todas as coisas. O ThetaHealing não é afiliado a nenhuma religião, nem a nenhum tipo específico de idade, sexo, raça, cor ou credo. Qualquer um com a pura crença em Deus ou na Força Criadora pode acessar e utilizar os ramos da árvore do ThetaHealing, e eu me dei conta de que o Criador tem muitos nomes diferentes. Deus, A Força de Vida, Alá, Criador de Tudo o Que é, Deusa, Jesus, Espírito Santo, Fonte e Javé.

Mesmo que eu esteja compartilhando essa informação com você, não aceito qualquer responsabilidade por qualquer mudança que pode ocorrer ao usá-la. A responsabilidade é sua, a responsabilidade você assume quando se dá conta de que possui o poder de mudar a sua vida e também a vida dos outros.

Nota ao Leitor

Depois de ensinar cursos de ThetaHealing por muitos anos, comecei a perceber irregularidades na forma como os estudantes estavam realizando o digging para encontrar a crença raiz ou a crença-chave em uma sessão.

Alguns estudantes podem ter desenvolvido maus hábitos em razão de terem sido ensinados por antigos instrutores de ThetaHealing, que aprenderam (ou criaram) uma maneira errada de cavar, enquanto outros estudantes não obtiveram o ensino sobre as práticas do digging. Alguns estudantes faziam *downloads* de crenças negativas, ou apenas faziam uma lista longa de trabalho de crenças, enquanto outros faziam o trabalho de crenças, mas não utilizavam os *downloads*. Alguns praticantes estavam realizando um bom trabalho de crenças, mas não era tão efetivo como poderia ser, e seus clientes precisavam de mais sessões do que o necessário para se curar. Alguns estudantes não leram as explicações do digging nos livros básico e avançado.

O digging é uma das mais importantes ferramentas do ThetaHealing, mas, a cada ano, mais estudantes vinham para os meus cursos de instrutores com maus hábitos. O curso "Aprofundando no Digging" foi criado para ajudá-los a realizar o digging de uma maneira rápida e eficaz, e este livro é o resultado disso.

Introdução:
A Psicologia do Thetahealing

Existem diversos livros escritos acerca de crenças, emoções, estados emocionais e muitos outros a respeito de como eles são criados – a maioria deles tenta explicar *como* trabalham com psicologia, fisiologia, filosofia, neurologia, sociologia, endocrinologia e com a psicoterapia. A questão abordada por tais livros é: como definimos um sentimento, uma crença ou uma emoção?

Na ciência moderna, muitos conceitos a respeito de emoções são, em essência, processos de aprendizado de uma especulação teórica com uma ideia se sobrepondo à outra. Para alguns psicólogos, um sentimento é uma experiência subjetiva que resulta em um estado emocional. Nós podemos ver o resultado de um estado emocional por meio de reações físicas e verbais, mas não podemos ver como eles são formados *mecanicamente* – a não ser que peguemos uma leitura de eletroencefalograma ou mais recentemente de uma tomografia computadorizada para monitorar as ondas cerebrais. Assim, podemos supor que as emoções são transmitidas pelo corpo via mensagens químicas e elétricas, por meio dos sistemas circulatório e nervoso.

Alguns psicólogos propõem que nossos estados emocionais são essencialmente guiados por respostas biológicas a fatores ambientais e sociais. De acordo com essas teorias, existem seis emoções básicas: raiva, nojo, medo, felicidade, tristeza e surpresa. Essas emoções básicas se misturam para formar emoções mais complexas; um bom exemplo seria o sentimento de raiva e de nojo ao mesmo tempo. Essas emoções misturadas formam o sentimento de desprezo. (Por favor, entenda que esses conceitos são, pelo menos em parte, teoria a respeito das emoções.)

Entretanto, nada disso explica *por que* nós desenvolvemos ou herdamos uma crença em particular. Uma crença é um estado emocional? Onde ela se localiza no cérebro? Como é formada? Por que uma pessoa desenvolve certas crenças e não outras?

Uma coisa parece certa: crenças são objetos mentais que estão profundamente embutidos no cérebro e, assim como as memórias, podem se solidificar em estados mentais positivos ou negativos. Assim sendo, a próxima questão é: como reconhecemos nossas crenças e como elas podem ser modificas, se for preciso? Ódio, preconceito e discriminação são alguns exemplos de crenças negativas que podem se solidificar em algo além das emoções, apesar de serem também fontes de emoções negativas, enquanto crenças a respeito de oração, meditação, amor, boa vontade, e assim por diante, têm a tendência de criar emoções e sentimentos positivos. Alguns cientistas especularam que as crenças se solidificam da mesma maneira que as memórias se formam no cérebro, mas, uma vez solidificadas, como mudá-las?

Kathleen Taylor, uma neurocientista da universidade de Oxford diz: "se você as desafiar (as crenças) ... então você vai levemente enfraquecê-las. E se essa ação for combinada com um grande reforço de novas crenças, então você terá uma mudança de enfoque de uma para outra"[1].

CRENÇAS – O PORTAL PARA O SUBCONSCIENTE

Crenças e o **trabalho de digging** são parte essencial do ThetaHealing, e podem ser facilmente entendidos de um ponto de vista psicológico, como uma maneira de abrir diretamente um portal para a mente **subconsciente** para que possamos criar uma mudança. Observando as

---

1. Jha, A. 2005. "Where belief is born." Disponível em: <www.theguardian.com/science/2005/jun/30/psychology.neuroscience>; acesso em 21 de janeiro de 2019.

pessoas em uma sessão de trabalho de crenças, indica que existe uma bolha de proteção em volta do oceano do subconsciente – pelo menos em algumas pessoas. Esse campo de proteção é criado em um processo natural para que o disco rígido de memória do subconsciente possa nos isolar da dor – ou do que é percebido como doloroso para nós. Devemos tentar modificar as crenças (ou **programas**) que formamos durante a vida.

O cérebro funciona como um supercomputador biológico, acessando informações e respondendo-as. Como respondemos a uma experiência depende de como a informação é entregue ao subconsciente, e de como a mesma informação será recebida e interpretada pelo mesmo. Quando a crença é aceita como "real" pela mente, ela se torna cristalizada como um programa e é inserida no disco rígido de memórias do subconsciente (HD). Como em um computador, o ThetaHealing denomina como "crenças" os "programas", pois o disco rígido do subconsciente age com essas crenças independentemente de serem negativas ou positivas.

Um programa pode atuar em nosso benefício ou em nosso detrimento, dependendo do que ele é e de como reagimos a ele. Por exemplo: viver com programas escondidos como "eu não posso ter sucesso" pode resultar na perda de tudo, mesmo depois de anos de sucesso, ou por meio de comportamentos autodestrutivos; e por ser inconsciente, o programa continuará como uma autossabotagem. Esse tipo de programa, que geralmente é formado na infância, permanece profundo na mente subconsciente, aguardando pela oportunidade de ser reafirmado na realidade.

Por essa razão, à medida que aprendemos e crescemos ao longo da vida, muitos de nós constatam que as mudanças e o crescimento não são bons para nós. Quando somos crianças, as experiências nos ensinam que as mudanças podem ser dolorosas, e até mesmo perigosas. Traumas experimentados na infância – talvez em razão da mudança de escola, divórcio, morte ou algum outro motivo – causam uma bolha de proteção que se forma em torno do subconsciente, como uma maneira de nos isolar da dor. À medida que a mentalidade ocidental percebe como fases dolorosas o envelhecimento de nossos corpos, as mudanças e crescimento, e também eventos como perdas ou mudanças de emprego, fins de relacionamento, isso pode significar que nossa percepção de mudança se torna progressivamente mais negativa. Conforme o subconsciente internaliza estes comportamentos aprendidos – inclusive alguns que podem não ser benéficos –, ele sabe que existem monstros nas profundezas, pois alguns desses comportamentos podem ser dolorosos se forem diretamente contatados e se uma tentativa for feita para mudança positiva – dessa forma, a bolha de proteção permanecerá em seu lugar. À medida que envelhecemos, mais difícil se torna para fazer mudanças que podem ser dolorosas para nós, e assim as camadas de proteção tornam-se cada vez mais espessas. O trabalho de crenças é uma maneira de perfurar as camadas da bolha da mente subconsciente e realizar as mudanças sem criar dor.

O trabalho de crenças nos empodera com a habilidade de remover e substituir qualquer programa negativo por um programa positivo benéfico, pela percepção de que a mudança pode ser criada por meio da força mais poderosa do Universo, a energia das partículas subatômicas. Como essa essência é percebida depende de cada indivíduo. Algumas pessoas podem chamar essa essência de "Deus", mas outras podem percebê-las cientificamente. De qualquer maneira, ela nos dá direcionamento para criar mudanças tangíveis em nossa vida. Nesse processo, a crença, que é tanto externa como interna, é aceita como mais poderosa do que qualquer outra na nossa mente.

O PROCESSO DE CRIAR MUDANÇAS

Usando o **teste energético** (veja no capítulo 2), podemos perceber quais programas de crenças estão mantidos no subconsciente e em qual dos **quatro níveis de crenças (central, genético, histórico ou de alma)** – que acreditamos ser inerentes em nós. O teste energético é um procedimento direto – via reação e estímulo – para testar o seu próprio campo energético ou o do cliente, a essência de Tudo o Que É, e uma maneira precisa de revelar se um programa de crenças existe e trazê-lo à **consciência**. O programa de crenças, então, pode ser liberado e um novo pode ser instalado em seu lugar. Em outras palavras, o cliente *acredita* que o programa de crenças foi liberado e que existe um novo em seu lugar.

Realizar o teste energético ajuda aqueles que estão apenas começando a usar o trabalho de crenças e para os clientes que precisam de uma "prova" de que algo aconteceu. De qualquer maneira uma vez que você fica mais familiarizado com a interação sincrônica do trabalho de digging para encontrar a crença raiz ou crença-chave (o qual vou explorar com mais detalhes em capítulos mais adiante), você não vai precisar usar esse processo mecânico de teste energético para cada crença, à medida que o cliente vai começar a fazer saltos quânticos intuitivos no processo de interação.

O mais importante é que a ferramenta do teste energético nos ensina que podemos acessar o subconsciente e fazer a mudança nele sem dor. Quando suficientes programas desses forem alterados, a mente aprende que ela não precisa se proteger e eventualmente nos será dado acesso direto ao subconsciente. A partir desse ponto, podemos começar espontaneamente a fazer mudanças sem o teste energético. Qualquer mudança posterior que for necessária nos vem em sonhos, no nosso subconsciente, e então abertamente a nossa mente consciente, à medida que a gente vive o nosso dia a dia. Nós descobrimos que as mudanças podem continuar a ser difíceis, mas não nos sobrecarregam mais de modo que as temermos. Nesse momento, estamos automaticamente fazendo um trabalho de crenças em nós, instantaneamente criando mudanças em nós mesmos que vão se manifestar e se estender para aspectos mais materiais das nossas vidas.

De qualquer maneira, para mudar uma crença o subconsciente precisa se sentir à vontade pra liberá-la. Os quatro níveis de crença são um caminho para abrir as portas do subconsciente e criar mudanças em programas que deveriam permanecer ali. Isso acontece porque, uma vez que o subconsciente aceitou a ideia dos quatro níveis de crença, o mesmo se estruturou em cada um para manifestar a mudança e o crescimento.

O trabalho de sentimentos é uma sugestão à mente subconsciente de que pode haver sentimentos que não foram experienciados ou que foram rejeitados por alguma razão no passado. Isso também sugere que podem ser feitos *downloads* desses sentimentos desde o divino e, pelo fato de que essa sugestão vem de um lugar Divino, o subconsciente é mais suscetível a aceitar o *download* **do sentimento** apresentado, e permite que o subconsciente aceite a mudança positiva.

Capítulo 1

A Técnica Theta

Como descrito na Introdução, o trabalho de crenças é importante por trazer para a nossa consciência qualquer programa de crenças que está nos impedindo de receber uma cura ou de seguirmos adiante em nossas vidas. Quando cavamos por uma crença, utilizamos a técnica que nos leva até a onda cerebral Theta e, se você é novo no ThetaHealing, este capítulo será útil para obter uma perspectiva geral dos diferentes ramos da técnica Theta.

A cura básica ou a técnica de **leitura** do ThetaHealing são realmente bem fáceis de realizar. De qualquer maneira, o *modus operandi* desses procedimentos é a visualização, que pode ser que não chegue a você naturalmente. Então, é uma boa ideia praticar a técnica apresentada neste capítulo antes de começar qualquer trabalho de crenças. Nós descobrimos que todos podem aprender a visualizar e, se seguir as instruções no seu próprio ritmo, você se tornará habilidoso.

A ÁRVORE DO THETAHEALING

As curas e as leituras são baseadas no poder de conexão com o Criador e com o pensamento focado. Para que você tenha essa conexão e para focar os seus pensamentos, é necessário que primeiramente reconheça suas habilidades intuitivas, para que então entenda o processo e aprenda tudo o que pode a respeito do seu potencial inato.

Os termos a seguir se referem aos primeiros "galhos" da "árvore" do ThetaHealing, e nós os usamos para subir e encontrar Deus:

- O poder das palavras e do pensamento.
- Ondas cerebrais.
- Os sentidos intuitivos e os chacras.
- Livre-arbítrio; cocriação.
- O comando ou o pedido (o comando é para o seu subconsciente, enquanto o pedido é para o Criador).
- O poder da observação – visualização e ser a testemunha.
- O Criador de Tudo o Que É do **Sétimo Plano da Existência**.

O ESTADO MENTAL THETA

A próxima parte do processo é entender como utilizar o **estado mental Theta** em prontidão para o trabalho de crenças. Existem cinco diferentes ondas cerebrais: beta, alpha, theta, delta e gamma. Essas ondas cerebrais estão constantemente em movimento, à medida que o cérebro está consistentemente produzindo ondas em todas as cinco frequências. Tudo que nós fazemos e dizemos é regulado pela frequência de nossas ondas cerebrais.

O **estado de onda cerebral Theta** é um estado de profundo relaxamento; um estado de sono, que é sempre criativo, inspirador e caracterizado por sensações espirituais. Nós acreditamos que esse estado nos permite acessar a mente subconsciente e abrir um condutor de comunicação direta com o divino.

Eu acredito que, quando praticamos a meditação e dizemos a palavra "Deus", somos capazes de manter conscientemente a onda cerebral Theta. Nesse estado mental Theta consciente, acredito que podemos criar qualquer coisa, mudar nossa realidade instantaneamente e enviar nossa consciência além desse corpo mortal, para nos conectarmos ao Sétimo Plano da Existência, a energia de Tudo o Que É, inerente a todas as coisas que existem universo afora. Muitos estudos[2] mostraram que o curador e a pessoa que está sendo curada baixam em uma frequência Theta – Delta, o que pode explicar as experiências visionárias de alguns curadores.

Assim, antes de começar a cavar pelas crenças – seja para você mesmo ou com um cliente – use a meditação da energia de Tudo o Que É para ir ao Sétimo Plano da Existência; essa energia vai desbloquear sua mente e conectá-la com a pura essência da energia de Tudo o Que É. Esse caminho mental vai estimular os neurônios do seu cérebro e conectá-lo à energia da criação.

MEDITAÇÃO CAMINHO À ENERGIA DE TUDO O QUE É
(VERSÃO ESTENDIDA)

Nessa meditação, que é uma versão estendida daquela dada no livro *Planos da Existência*, você partirá em uma jornada para encontrar o Criador em si, dentro de você – que é a inteligência mais elevada e o perfeito amor –, e, ao mesmo tempo, viajar para fora, até a consciência cósmica.

1. Comece enviando a sua consciência para baixo, até o centro da Mãe Terra, dentro da energia de Tudo o Que É.

2. Agora traga a energia de Tudo o Que É para cima, através de seus pés e para dentro do seu corpo.

3. Agora traga a energia para cima, passando pelos seus sete chacras e, então, subindo e saindo pelo topo da sua cabeça. Imagine essa energia como uma linda bola de luz e se veja dentro dela. Dê-se um tempo para perceber que cor essa bola de luz possui.

4. Projete a sua consciência subindo, passando pelas estrelas e se imagine indo além do Universo.

---

2. "10 Huge Benefits of Theta Binaural Beats." Disponível em: <www.binauralbeatsfreak.com/brainwave-entrainment/the-benefits-of-theta-binaural-beats>; acesso em: 21 de janeiro de 2019.

5. Imagine-se adentrando uma luz além do Universo; é uma grande e linda luz. Imagine-se subindo e atravessando essa luz e, então, você verá outra luz brilhante, e outra. São muitas luzes brilhantes, mantenha-se subindo.

6. Entre as luzes existe uma pequena luz negra, que é apenas uma camada antes da próxima luz. Mantenha-se subindo.

7. Finalmente, existe uma grande e brilhosa luz dourada. Atravesse essa luz. Quando a atravessa, você poderá ver uma energia que a princípio é mais escura, uma energia espessa, que parece feita de uma substância gelatinosa, composta por todas as cores do arco-íris. Quando você adentrar essa energia gelatinosa, verá que ela muda de cor – é aqui que as Leis residem, e aqui você verá todos os tipos de formas e cores. A distância há uma luz branca e iridescente; é uma luz branco-azulada, como uma pérola. Direcione-se a essa luz. Evite a luz azul-profunda, pois é a Lei do Magnetismo. É possível entrar em transe com a essência das leis, então se certifique de prosseguir até a próxima luz.

8. À medida que você se aproxima da luz branca iridescente, você verá uma névoa de cor rosa, essa é a Lei da Compaixão e ela vai guiá-lo para um lugar especial, o Sétimo Plano da Existência. Você pode ver que essa luz perolada possui a forma de um retângulo, de uma janela, essa é a abertura para o Sétimo Plano da Existência.

9. Agora passe por essa abertura, adentre-a profundamente. Você estará dentro de uma luz branca cintilante. A princípio a luz pode ter poucos brilhos, em um perolado azul e rosa, mas é, em sua maioria, uma luz branco-leve luminescente. Sinta essa luz por todo o seu corpo; é uma sensação leve, mas com essência. Você pode senti-la através de você; é como se você não sentisse mais uma separação entre seu próprio corpo e essa energia. Você se torna o Criador de Tudo o Que É, desde a mais alta inteligência e do mais elevado amor. Não se preocupe, o seu corpo não irá desaparecer, e sim se tornar perfeito e saudável. Lembre-se de que aqui é só energia, não há pessoas

ou coisas, então, se você vir pessoas, vá mais alto. É a partir desse lugar que o Criador de Tudo o Que É pode atuar com curas que irão curar instantaneamente e que você pode criar todos os aspectos de sua vida.

Uma vez que você teve um entendimento dessa meditação e se torna familiarizado com esta prática, você está pronto para utilizar os processos de leitura e cura dados a seguir, para liberar, substituir e cavar pelas das crenças. As duas descrições a seguir, tanto da leitura quanto da cura, são versões encurtadas do livro *ThetaHealing*.

Leitura

O processo da leitura é uma maneira de o Criador enviar a sua consciência e adentrar o espaço de outra pessoa para realizar o escaneamento do corpo. A leitura é simples:

1. Centre-se.
2. Comece a enviar a sua consciência para baixo até o centro da Mãe Terra, na energia de Tudo o Que É.
3. Suba com a energia e adentre seu corpo através de seus pés, trazendo a energia acima, passando por todos os chacras.
4. Suba através do seu chacra da coroa, eleve e projete a sua consciência para fora, passando pelas estrelas, através do Universo.
5. Vá além do Universo, passe por camadas de luzes, por uma luz dourada, por uma substância gelatinosa, que são as leis, e adentre a luz branca e perolada iridescente, que é o Sétimo Plano da Existência.
6. Faça o comando ou pedido: "Criador de Tudo o Que É, é comandado (ou pedido) que haja o testemunho de uma leitura em (insira o nome da pessoa). Gratidão! Está feito, está feito, está feito".
7. Adentre o espaço do cliente.

8. Imagine-se adentrando o corpo do cliente e luzes sendo acesas conforme você vai passando.

9. Se qualquer parte do corpo não acender à medida que você for passando, pode ser que haja um problema nessa área.

10. Uma vez finalizado, enxágue-se com a energia do Sétimo Plano da Existência e permaneça conectado a ele.

O próximo passo da leitura é a cura.

CURA

O Criador de Tudo o Que É é o curador e você é apenas o observador que o testemunha. A cura é simples:

1. Concentre-se.

2. Comece enviando sua consciência para baixo, para o centro da Mãe Terra, para a energia de Tudo o Que É.

3. Leve a energia para cima através dos seus pés, através do seu corpo, e eleve a energia através de todos os chacras.

4. Suba pelo seu chacra coronário, eleve e projete sua consciência para além das estrelas, para o Universo.

5. Vá além do Universo, através de camadas de luz, através de uma luz dourada, passando pela substância gelatinosa, que são as Leis, em uma luz branca perolada e iridescente, para o Sétimo Plano de Existência.

6. Faça o comando ou pedido: "Criador de Tudo o Que É, é ordenado ou solicitado que seja testemunhada a cura em (insira o nome da pessoa). Obrigado! Está feito. Está feito. Está feito".

7. Entre no espaço da pessoa e testemunhe o Criador a curar a pessoa.

8. Permaneça na área desafiada até que a energia de cura esteja terminada.

9. Uma vez terminado, enxágue-se com a energia do Sétimo Plano de Existência e permaneça conectado a ela.

Para que uma cura aconteça, o receptor deve desejar restaurar sua saúde e o curador deve acreditar que é possível. Se a pessoa não quer ser curada, ou não acha que pode ser curada, a técnica de cura pode ser usada de uma maneira diferente, para mudar crenças.

O trabalho de crenças nos empodera com a habilidade de remover e substituir programas negativos por programas benéficos e positivos vindos do Criador de Tudo o Que É.

TRABALHO DE CRENÇAS

O Trabalho de crenças é o coração do ThetaHealing e é uma maneira de mudar crenças limitantes que se tornaram programas no subconsciente, antes de realizar o digging para encontrar a crença-chave ou raiz.

Programas e níveis de crença

Quando uma crença foi aceita como "real" pelo corpo, a mente ou a alma, ela se torna um programa. Esse programa pode atuar para o nosso benefício ou detrimento – dependendo do que ele seja ou de como reagimos a ele. O ThetaHealing ensina que existem quatro níveis em que os programas de crenças são mantidos (central, genético, histórico e de alma), que você pode usar como um guia para remover e substituir programas na sua sessão de trabalho de crenças.

Crenças Centrais

As **crenças centrais** são o que nos foi ensinado nesta vida e o que aceitamos desde a infância. Essas crenças se tornaram parte de nós e são mantidas como uma energia no lobo frontal do cérebro.

Crenças Genéticas

Nesse nível, as crenças são herdadas de nossos ancestrais ou foram adicionadas aos nossos genes nesta vida. Essas crenças são energias armazenadas no campo morfogenético, ao redor de nosso DNA físico. Esse campo de conhecimento é o que diz ao mecanismo do DNA o que fazer.

Crenças Históricas

Esse nível diz respeito às memórias de vidas passadas, memórias genéticas profundas ou experiências da consciência coletiva que carregamos até o momento presente. Essas memórias são mantidas em nosso campo áurico.

Crenças de Alma

Esse nível é tudo que a pessoa "é". Esses programas de crenças são os mais profundos e mais impregnados, e são retirados da completude do indivíduo, começando do chacra do coração para fora.

Use esses quatro níveis de crenças como seu guia para remover e substituir programas em suas sessões de trabalho de crenças.

Como descrito no capítulo 1, podemos usar o teste energético para encontrar programas de crenças em todos os quatro níveis de crenças (veja o capítulo 2 para a forma correta de realizar os métodos e o processo do teste energético). O teste energético é um procedimento direto, que deve ser utilizado para obter resposta "sim" ou "não", para se certificar se determinada crença está presente.

Processo de Mudança de Crença

O processo a seguir é apenas um exemplo. O processo completo de liberação de crenças dos quatro níveis é dado no livro *ThetaHealing*.

1. Centre-se.

2. Comece a enviar a sua consciência para baixo até o centro da Mãe Terra, na energia de Tudo o Que É.

3. Suba com a energia e adentre seu corpo através de seus pés, trazendo a energia acima, passando por todos os chacras.

4. Suba através do seu chacra da coroa, eleve e projete a sua consciência para fora, passando pelas estrelas, através do Universo.

5. Vá além do Universo, passe por camadas de luzes, por uma luz dourada, por uma substância gelatinosa, que são as Leis, e adentre a luz branca e perolada iridescente, que é o Sétimo Plano da Existência.

6. Faça o comando ou pedido: "Criador de Tudo o Que É, é comandado (ou pedido) que o programa de crença de (seja lá a crença que for) seja retirado em todos os quatro níveis, cancelado, resolvido no nível histórico e enviado para a luz de Deus, de (diga o nome da pessoa) e substituído por (seja lá o programa que o Criador diz a você). Gratidão! Está feito. Está feito. Está feito".

7. Testemunhe o programa e a energia associada a ele (seja lá a crença que for) ser retirado, cancelado, resolvido no nível histórico, enviado para a luz de Deus e substituído pelo programa (seja lá o que o Criador lhe disser) desde o Criador.

8. Uma vez finalizado, enxágue-se com a energia do Sétimo Plano da Existência e permaneça conectado a essa energia.

DIGGING

Digging ou escavação é fazer o teste de energia para encontrar a crença-chave que possui todas as outras crenças sobrepostas em si. Em uma sessão a dois, o praticante é o investigador e deve realizar o teste energético com as afirmações do cliente para encontrar pistas para a sua crença-chave.

Você pode achar útil a visualização do **sistema de crenças** como uma torre de blocos. O bloco de baixo é a chave, ou base, crença sustentando o resto das crenças; a raiz de todos os programas acima dele. Sempre pergunte ao Criador: "qual é a crença-chave que está sustentando esse sistema de crenças intacto?". Você pode economizar horas procurando e limpando a crença-chave.

Assim que você tiver a crença ou o programa-chave, encontre o programa mais apropriado de substituição para instalar no vazio deixado pelo programa removido. Então, pergunte ao cliente: "o que você aprendeu por ter obtido a substituição desse programa e por que ele estava lá em primeiro lugar?". Entender por que possuímos um programa que não é do nosso melhor e mais elevado interesse nos ajudará a evitar a recriação da mesma energia novamente.

É sempre melhor encontrar a crença-chave, retirá-la e substituí-la antes do fim da sessão. Além disso, certifique-se de incluir o trabalho de sentimentos na sua sessão de trabalho de crenças, pois instalar sentimentos, em muitos casos, vai acelerar o processo de procura do programa mais profundo.

Determinando a crença-chave

Quando realizar o trabalho de crenças em si mesmo ou com um cliente, pergunte: "se houvesse alguma coisa que você pudesse mudar, o que seria?". E, então, continue com perguntas pertencentes à questão, até que você alcance a questão mais profunda ou específica. Ao trabalhar com um cliente, você saberá quando estiver perto da crença-chave se a pessoa se tornar verbalmente defensiva, contorcer-se ou chorar, em uma tentativa subconsciente de manter o programa. Retire, cancele, resolva e substitua a questão como for necessário em qualquer nível de crença que você a encontrar.

Perguntas-chave a serem feitas:

- Quem?
- O quê?
- Onde?
- Por quê?
- Como?

Quando estiver trabalhando com um cliente, evite colocar seus próprios programas ou sentimentos no processo investigativo. Por essa razão, quando estiver no "espaço" de outra pessoa com suas habilidades intuitivas, sempre permaneça firmemente conectado à perspectiva do Criador do Sétimo Plano. Se fizer dessa maneira, receberá uma leitura "clara" da pessoa. Em alguns casos, o cliente entrará em "loop", irá se esconder ou dar voltas com o cenário da questão/resposta. Seja paciente e persistente para encontrar o programa mais profundo. Pode ser necessário perguntar ao criador: "qual é o programa mais profundo?".

Se o cliente começar a passar por desconforto durante o trabalho de crenças, continue liberando crenças até que a sensação passe. Com a permissão da pessoa, faça o *download* de sentimentos de *qual é sensação* de estar seguro na perspectiva do Criador. Continue a sessão até que a pessoa fique confortável e tenha um comportamento pacífico. Na maioria dos casos, a técnica de digging deve ser precedida da inserção de sentimentos ou da liberação de programas. A primeira coisa que devemos compreender é qual a conexão neuronal que precisamos modificar.

Por que cavar para encontrar crenças?

Realizar o digging nos traz a compreensão do que precisa ser mudado. Uma vez que as sinapses são modificadas, é necessário se certificar de que você muda qualquer padrão associado que pode interferir com o novo conceito. Lembre-se de que história – em um nível de crenças genéticas – também pode bloquear a inserção de uma crença.

Realizar o digging não significa perguntar ao Criador o que deve ser mudado e nada mais; ele envolve autoinvestigação ou conversa, tendo em vista que o simples fato de falar sobre os tópicos vai, "de fato", trazer os programas para a luz da consciência, para que sejam liberados espontaneamente. Por exemplo, se você inserir o sentimento e a sabedoria de como viver alegremente, os receptores das células do corpo vão abrir portais para a felicidade – e, se você está trabalhando com um cliente, a partir desse momento ele deve começar a agir diferentemente.

O ponto-chave quando se estiver fazendo digging não é focar demasiadamente na ideia de que o cérebro está sendo reprogramado, pois o subconsciente pode tentar substituir o novo programa pelo antigo.

Assim que encontrar um novo programa, você irá, simplesmente, perguntar ao Criador se deve liberá-lo, substituí-lo ou deletar algum aspecto dele. Nós vamos explorar os métodos e os processos do digging com mais detalhes nos próximos capítulos, mas nunca substitua programas sem um discernimento apropriado. O que deve, a princípio, aparecer como programa negativo, pode na realidade ser benéfico, e não deve ser liberado aleatoriamente.

Esse processo é fácil! Tudo que você precisa fazer é utilizar as perguntas-chave: *Quem? O quê? onde? Por quê? Como?* A mente começará a cavar, acessando a informação como um computador, e revelará a resposta para cada pergunta. Lembre-se: se você ou o cliente ficarem parados procurando a resposta, isso é algo apenas temporário. Mude a pergunta de "por quê?" para "como?", etc., até a resposta se manifestar. Se não obtiver resposta, pergunte: "e se você soubesse a resposta, qual seria?".

Com um pouco de prática você aprenderá como acessar a capacidade da mente para encontrar a resposta. A qualquer momento no trabalho de crenças, esteja aberto à intervenção divina e o Criador lhe dará a crença fundamental. Lembre-se de que geralmente há um aspecto positivo em todas as crenças-chave, portanto certifique-se de descobrir o propósito que ela vem servindo e o que foi aprendido com isso. Crenças como "Se eu estiver acima do peso, meus sentimentos estão seguros» ou «Se eu estiver acima do peso, meus sentimentos mais profundos permanecerão ocultos" são a mente fazendo o melhor que pode para nos proteger da dor.

TRABALHO DE SENTIMENTOS

Algumas pessoas nunca experimentaram (ou perderam a capacidade de sentir) a energia de certos sentimentos, talvez em razão de traumas na infância ou mesmo mais tarde durante a vida. Para ter sentimentos, como alegria, o de amar e de ser amado, ou qual é a sensação de ser rico, ou qualquer outro sentimento não familiar, é necessário que nos seja mostrado qual é a "sensação" desses sentimentos, por meio do Criador. Esta é também a razão pela qual algumas manifestações não se materializam, pois, para manifestar o que queremos – uma alma gêmea, riqueza, etc. –, primeiro temos de *experimentar* o que é sentir essas coisas. Em outras palavras, temos de acreditar que essas possibilidades existem no Universo para então possibilitar que elas se manifestem em nossas vidas.

Como explicado no livro *ThetaHealing,* para fazer *download* de um sentimento em outra pessoa, você precisa:

1. Solicitar permissão verbal para realizar o *download.*
2. Comandar ou pedir ao Criador de Tudo o Que É para instalar o Sentimento a partir do Sétimo Plano da Existência.

No ThetaHealing você também pode ser seu próprio praticante e realizar seu próprio trabalho de sentimentos, chamando o Criador e permitindo que o *download* de sentimentos flua através de cada célula do seu corpo, em todos os quatro níveis de crença. Uma vez que esse sentimento tenha sido experimentado, você estará pronto para criar mudanças em sua vida.

Eu observei muitas vidas sendo mudadas simplesmente por meio de *downloads* de sentimentos do Criador.

O que pode para algumas pessoas levar várias vidas para ser aprendido, pode ser aprendido em segundos. O Criador de Tudo o Que É pode nos ensinar esses sentimentos em todos os níveis, assim como remover medos irracionais.

Baixando sentimentos

Quando é feito o *download* do conhecimento de um sentimento, são criados consciência, entendimento e compreensão, e esses sentimentos podem ter um tremendo efeito sobre suas habilidades intuitivas e criar um bem-estar físico.

Processo do Trabalho de Sentimentos

Use processo a seguir para fazer o *download* de sentimentos.

1. Centre-se.
2. Comece enviando sua consciência para baixo, até o centro da Mãe Terra, para a energia de Tudo o Que É.
3. Traga essa energia para cima, através dos seus pés, para dentro de seu corpo e para cima, passando por todos os chacras.
4. Suba e passe através de seu chacra coronário, eleve e projete sua consciência para além das estrelas, através do Universo.
5. Vá além do Universo, passe por camadas de luzes, através de uma luz dourada, atravesse a substância gelatinosa, que são as Leis, até chegar em uma luz branca perolada e iridescente, o Sétimo Plano de Existência.

6. Faça o comando ou pedido: "Criador de Tudo o Que É, é comandado ou pedido que seja instalado o sentimento de (nomear o sentimento) na pessoa (nome da pessoa) através de cada célula de seu corpo; em todos os quatro níveis de crença e em todas as áreas de sua vida, da melhor e mais elevada maneira. Gratidão! Está feito. Está feito. Está feito".

7. Testemunhe a energia do "sentimento" fluindo no espaço da outra pessoa e visualize o sentimento do Criador sendo enviado como uma cachoeira através de cada célula do corpo da pessoa, instalando o sentimento em todos os quatro níveis de crença (central, genético, histórico e de alma).

8. Uma vez finalizado, enxágue-se com a energia do Sétimo Plano da Existência e permaneça conectado a essa energia.

Comandos para fazer download de sentimentos

Use os seguintes comandos para baixar sentimentos a partir do Criador.

"Eu entendo qual é a sensação de..."
"Eu sei..."
"Eu sei quando..."
"Eu sei como..."
"Eu sei como viver o meu dia a dia..."
"Eu conheço a perspectiva do Criador de Tudo o Que É sobre..."
"Eu sei que é possível..."
"Eu sou..."
"Eu faço..."

Exemplos de outros comandos:
- Ensine a *definição de (insira o sentimento a ser experimentado)* por meio do Criador de Tudo o Que É do Sétimo Plano da Existência. Por exemplo: Eu conheço a *definição* de *segurança* por meio do Criador de Tudo o Que É.

- Ensine *qual é a sensação de* (ser) *(insira o sentimento a ser experimentado)*. Por exemplo: eu sei *qual a sensação de confiar.*
- Ensine *qual é a sensação de entender como (insira o sentimento a ser experimentado)* ou *de ser (insira o sentimento a ser experimentado)*. Por exemplo: eu sei *qual é a sensação de entender como confiar ou como ser confiável.*
- Ensine *quando (insira o sentimento a ser experimentado)*. Por exemplo: eu sei *quando confiar.*
- Ensine que *é possível (insira sentimento a ser experimentado)*. Por exemplo: eu sei que *é possível confiar.*
- Ensine *a perspectiva* do Criador de Tudo o Que É e *como (insira sentimento a ser experimentado)*. Por exemplo: eu conheço a *perspectiva do* Criador de Tudo e *sei como confiar.*

Capítulo 2

Teste Energético

Aqui segue o método correto para realizar o teste energético. Com frequência, observo que os alunos e os praticantes não seguem o procedimento correto de teste energético, portanto, se você é um praticante ou está trabalhando em si mesmo, espero que perceba a utilidade do conteúdo a seguir.

HIDRATAÇÃO

Antes de realizar o teste energético, certifique-se de que você ou o cliente esteja hidratado e energeticamente "zipado". Houve uma época em que achei que não poderia ser testada energeticamente, mas depois de beber sete copos de água eu pude testar energeticamente os programas. O teste energético só funciona se você estiver totalmente hidratado e seguir as seguintes indicações-chave, as quais são dignas de se anotar:

- Pressão arterial, medicação para asma e cafeína podem afetar a hidratação, então beber água antes de uma sessão pode fazer uma grande diferença no procedimento do teste energético. Para uma hidratação ideal, adicione uma pitada de sal ao seu copo de água.
- Se após beber água você continuar desidratado, coloque as mãos nos rins (localizados nas costas, abaixo das costelas) para ativar a hidratação no corpo.

- Como alternativa, minha maneira favorita de me hidratar é subir até Deus e pedir para ser hidratada a fim de realizar os testes energéticos.

Métodos de Teste Energético

Existem dois métodos de teste energético, dependendo se você está trabalhando com clientes ou sozinho:

Método 1

Se você é um praticante, faça com que o cliente mantenha o polegar e algum outro dedo da mão bem unidos e teste "Sim" quando seus dedos estiverem bem fechados e se mantendo unidos, e "Não" quando seus dedos naturalmente se soltarem por conta própria.

Quando fizer o teste energético com esse método, você precisa estar atento e certificar-se de que o cliente mantenha seus dedos firmemente unidos e solte-os de uma maneira subconsciente em resposta às afirmações verbais que ele fizer.

Quando você puxar os dedos do cliente para testar uma resposta "Sim" ou "Não", é importante puxar com firmeza, mas não com tanta força que você prejudique o cliente. Segure o polegar e o outro dedo do cliente firmemente com as suas duas mãos e puxe com uma pressão firme e constante, após o cliente ter declarado a crença em voz alta. Certifique-se de que o cliente repita cada crença que você está testando.

Método 2

Este método de teste energético é ideal para trabalhar sozinho ou com clientes.

Fique em pé de frente para o norte. Quando você disser "Sim", seu corpo deve se inclinar para a frente. Quando você disser "Não", seu corpo deve se inclinar para trás. Se você não se inclinar de maneira nenhuma, então provavelmente você está desidratado (veja sessão anterior).

O TESTE ENERGÉTICO NÃO DEVE DEFINIR A SESSÃO

Embora o teste energético seja uma ferramenta útil – seja você praticante com um cliente ou trabalhando sozinho –, é melhor permitir que o Criador guie a sessão. Alguns praticantes usam o teste de energia como um meio de definir a sessão, mas no trabalho de crenças eu só realizo o teste energético no início e no fim de uma sessão – e geralmente apenas três ou quatro vezes. Em vez disso, permito-me ser guiada pelo Criador.

TESTANDO ENERGETICAMENTE O QUE ACREDITAMOS

O teste energético é apenas para o que acreditamos ser verdade, o que explica por que não podemos realizar o teste energético para testar com precisão; por exemplo, se precisamos de algumas vitaminas e minerais. Se precisarmos de uma vitamina, iremos nos inclinar para a frente ao fazer o teste para essa vitamina, porque o corpo gravitará naturalmente para substâncias das quais ele acredita que precisa. Então, se você tem desejo por uma torta de chocolate, isso deve indicar que você precisa complementar com selênio e serotonina. Se deseja bolo ou pão, você provavelmente precisa de potássio; então, em vez disso, você deveria comer melancia. Da mesma forma, o teste energético não é um método definitivo para descobrir o que uma pessoa precisa ou para saber o que está acontecendo.

A verdade é que, se o corpo não conhece o mineral ou a vitamina que você está testando, ele não dará uma resposta precisa. Por exemplo, você pode ir a uma loja de produtos naturais e realizar o teste energético com os suplementos, mas é provável que você nunca tenha um teste energético positivo para o mineral molibdênio (um metal pesado utilizado para criar ligas de aço). No entanto, o molibdênio é usado em pequenas doses como um suplemento para aliviar o corpo dos resíduos que podem causar o excesso de uma levedura chamada acetaldeído.

Outro exemplo disso vem de uma história pessoal. Como meu corpo não metaboliza o potássio corretamente, eu sempre testarei que preciso de potássio. No entanto, consigo assimilar potássio como suplemento, mas preciso ingerir os alimentos corretos – como bananas – para absorvê-lo.

É por isso que é fácil testar energeticamente positivo para 50 diferentes combinações de ervas, mas as ervas funcionam melhor como suplemento da maneira simples – usando apenas uma ou duas ervas de cada vez. (Também tenho a opinião de que as ervas não deveriam ser utilizadas de uma maneira contínua, e o uso deveria ser apenas por alguns meses de cada vez.)

Além disso, a conexão entre o cliente e o praticante também pode afetar a precisão dos testes energéticos. Para demonstrar, eu costumava colocar o solvente terebintina em um copo e fazer com que um dos meus alunos o segurasse. Então, eu fazia o teste de energia para ver se eles precisavam disso e, com certeza, porque eles confiavam em mim, eles dariam uma resposta "Sim".

Isso explica por que você deve se acostumar a subir e perguntar a Deus o que precisa. E, no caso de suplementos e outros remédios, é sua responsabilidade certificar que estes não tenham interações químicas com quaisquer outros medicamentos que estejam sendo tomados.

EVITANDO A QUESTÃO

Ao trabalhar com clientes, peça-lhes que segurem os dedos juntos firmemente enquanto você testa para saber a resposta. No entanto, seja cauteloso para não puxar os dedos com muita firmeza ou com muita suavidade, pois, se assim o fizer, você poderá influenciar na resposta.

É bom estar atento pois algumas pessoas tentarão influenciar o teste energético para evitar a questão – especialmente se o assunto for delicado para elas. Portanto, observe atentamente o cliente para garantir que ele não está tentando abrir ou fechar os dedos na tentativa de manipular o procedimento. Se isso acontecer, de uma maneira gentil faça com que o cliente perceba que ele está tentando mudar o resultado do teste energético e da sessão de digging. Fale para o cliente manter os dedos firmemente unidos enquanto você testa novamente para encontrar a resposta.

MOVIMENTO RÁPIDO DOS OLHOS
(RAPID EYE MOVEMENT – REM)

Ao trabalhar com clientes, mantenha seus olhos relaxados e permita que eles se movam naturalmente, como se você estivesse sonhando. Não é necessário ter um movimento rápido dos olhos (REM), com os olhos para trás, para entrar no estado de Theta ou para mudar as crenças de alguém – e isso pode fazer com que os clientes se sintam desconfortáveis.

OLHOS ABERTOS, OLHOS FECHADOS

Alguns clientes têm resultados diferentes quando fazem o teste energético com os olhos abertos por causa das diferentes funções do cérebro. Quando os olhos estão fechados, a pessoa fica mais relaxada e conectada ao seu subconsciente. Quando os olhos estão abertos, a pessoa está no modo de luta. Você ainda pode fazer *downloads* em um cliente que esteja com os olhos abertos, mas peça que ele feche os olhos antes de realizar o teste de energia para descobrir uma crença.

Para determinar se você limpou a crença ou o programa raiz, realize o teste energético no cliente com os olhos fechados. Continue a perguntar ao Criador pela crença-chave e remova o programa, e então teste novamente o cliente com os olhos abertos e fechados.

Não importa qual método de teste energético usa, você só pode testar energeticamente de maneira correta com os olhos fechados.

BOLHA DE ENERGIA: CRUZANDO O CAMPO ENERGÉTICO

É bom entender que somos bem sensíveis ao nosso "campo áurico" ou à "bolha energética" que existe em nosso corpo. Nós temos uma bolha eletromagnética ao nosso redor e somos sensíveis a que alguém quebre esse campo. Então, quando estiver trabalhando com clientes, cuide para permitir que os movimentos do seu corpo não interfiram no campo energético do cliente, ou seja, evite cruzar a linha média do corpo – isso pode afetar uma sessão de trabalho de crenças.

Isso também explica por que é melhor sentar-se ao lado ou diretamente em frente ao cliente, pois dessa maneira você não interferirá no campo áurico quando estiver realizado o teste energético. Você também deve "zipar" o campo áurico do cliente com a sua mão e fazer o movimento de subir e descer na sua frente, para reparar qualquer abertura que haja em seu espaço.

PROGRAMAS EXPRESSADOS EM VOZ ALTA

Se você está trabalhando sozinho ou com um cliente, não poderá realizar o teste energético com correção sem que diga cada programa de crença corretamente e em voz alta, como uma afirmação verbal. De qualquer maneira, você não pode fazer o teste energético simplesmente pensando na crença, pois assim a resposta não será precisa. Se você ou o cliente não repetem cada crença em voz alta, o teste energético é inválido para qualquer crença que não foi verbalmente expressa.

CAPÍTULO 3

Trabalho de Crenças e Digging: Passado, Presente e Futuro

Se você encontra um amigo e diz: "vamos ao cinema", isso significa que você está projetando a si mesmo e o seu amigo no futuro. Se o seu amigo responde: "vou precisar mais ou menos de um minuto e meio", o que isso significa? Pense no significado dessa afirmação...

Essa simples afirmação corriqueira mostra que seu amigo está no presente e projetando no futuro ao mesmo tempo. Isso significa que tudo que fazemos e dizemos faz com que sejamos o que somos – nosso passado, presente e futuro –, tudo diz respeito à ilusão da passagem do tempo. Nosso cérebro é configurado para aceitar a realidade dessa maneira.

Algumas pessoas vêm às minhas aulas e dizem: "Vianna, eu só estou vivendo no presente. Eu não preciso me lembrar do passado". Entretanto, na verdade, tudo que fazemos diz respeito às nossas experiências passadas e à nossa história anterior. O mundo inteiro é baseado na história do passado. Nós aprendemos com base no que fizemos, no que os nossos pais fizeram, no que todos fizeram antes de nós, e como essas ações continuam a nos afetar no presente e, assim, criam o nosso futuro.

Quando as pessoas dizem: "eu vivo no agora, não no passado ou no futuro. Eu não vivo no presente, eu *apenas* vivo no agora," minha resposta é a seguinte: "Não é possível realmente viver apenas no agora, pois no momento em que você percebe o 'agora', ele já se tornou passado. A única maneira de viver no agora é saber o que é o passado e que você está criando o futuro. Se você deseja ser um bom intuitivo e um bom curador, você precisa ser capaz de criar o seu futuro. O motivo que faz alguns de nós estarmos aqui é recriar o futuro.

Acredito que algumas pessoas leiam livros maravilhosos e participem de cursos que as inspiram a focar no que elas querem em suas vidas. Essas ideias lhes dizem para aproveitar cada respiração, cada segundo, e celebrar o agora. Entretanto, isso não significa em perder o foco em pagar as suas contas que chegarão no futuro e esquecer que você é um produto de suas ações e experiências passadas.

No processo de trabalho de crenças, encontramos muitos tipos de sistemas de crenças que foram criados no passado. Descobrimos os motivos pelos quais fazemos o que fazemos, e isso é por causa do nosso passado; comportamentos que formaram programas no subconsciente quando fomos crianças. À medida que descobrimos essas crenças, podemos mudar certos comportamentos e hábitos como adultos para o nosso próprio futuro.

O computador mais inteligente que conhecemos é o cérebro humano. Desde a primeira inspiração que você faz nesse maravilhoso sistema de manutenção de vida que é o corpo humano, o seu cérebro começa a gravar tudo que acontece com você. O seu subconsciente coordena cerca de 90% da sua vida e, ao longo do tempo, ele analisa as coisas, aprendendo com elas, e as organiza em padrões de comportamento. O subconsciente não classifica comportamentos como "maus" e "bons", mas apenas como experiências de aprendizagem.

**No ThetaHealing você não pode
subir e comandar que todos os maus comportamentos
ou que todos os comportamentos negativos desapareçam.
O cérebro não funciona dessa maneira.**

Por exemplo, se a sua mãe lhe bateu quando você era criança enquanto dizia "eu te amo", o cérebro computa que amor pode ser associado com dor e estresse. Então, o programa que pode se formar é que é um pouco perigoso se apaixonar, ter amor ou ter alguém que diga "eu te amo". Dessa maneira, o incrivelmente inteligente subconsciente cria esses comportamentos.

No ThetaHealing não usamos o trabalho de crenças para retirar nossas memórias passadas, mas para nos ajudar a nos tornarmos mais conscientes delas, para que possam ser resolvidas. Nossas memórias nos fazem quem somos, e cada experiência de vida possui a sua importância. O trabalho de digging para encontrar as crenças nos oferece uma maneira de desenvolver uma consciência do passado, do presente e do futuro.

ENTENDENDO O PASSADO

Nossas crenças do nível genético se formam antes de nascermos. O DNA do nosso corpo vem de nossos ancestrais e das crenças que eles carregavam – crenças que os ajudaram nas sua vidas. As decisões tomadas por nossos ancestrais no tempo presente deles podem ser passadas adiante e afetar seus descendentes no futuro. Essas crenças podem ter sido passadas por meio do DNA e possivelmente afetarão todo o ser de um descendente.

Nossos ancestrais nos passaram todos os tipos de informação genética, e a melhor maneira de clarear tudo isso é por meio do trabalho de crenças. Com o trabalho de crenças nós podemos atuar com o nível genético **sete gerações à frente e sete gerações atrás**. O importante é trazer adiante as coisas boas que os nossos ancestrais nos deram e amplificá-las.

Ao longo dos séculos, crenças se acumularam em nosso nível genético do DNA. Essa acumulação de crenças pode nos afetar agora, pois o passado não é simplesmente nosso passado, o presente não é simplesmente nosso presente e o futuro não é simplesmente nosso futuro. Nós estamos conectados aos nossos ancestrais no passado, aos nossos filhos e parentes no presente e aos nossos descendentes no futuro, de maneira que muitas pessoas não conseguem entender completamente.

> **Existe uma interconexão de todas as coisas, e isso inclui o nosso entendimento limitado sobre o tempo, posto que ele se relaciona ao nosso DNA.**

Nós aprendemos com os nossos erros do passado mas muitos dos sistemas de crença integrados ao nosso DNA atualmente nos servem. Por exemplo, nossos ancestrais aprenderam a como sobreviver, senão não estaríamos aqui. Nós naturalmente nascemos com muitas habilidades passadas adiante pelos nossos ancestrais e, dentre elas, existe uma que diz que é natural o desejo de ajudar os nossos irmãos humanos. Ajudar aos outros é uma boa estratégia de sobrevivência em uma sociedade tribal, que trabalha junto para prosperar. Isso é verdade principalmente se você é um curador de qualquer tipo; você terá aprendido que possui o desejo interno de ajudar as pessoas e provavelmente possui essa tendência genética.

Pergunte a si mesmo: "quais são as suas crenças que o afetam no nível **central, genético, histórico** e de **alma**". Essa pergunta pode ser respondida ao realizar o trabalho de digging no nível histórico.

Nós acreditamos que criamos a nossa própria realidade. Então, na sua própria realidade, pergunte a si mesmo:

- O que você está criando na sua vida neste momento? Por que você está nessa situação atualmente?
- Você está em uma boa situação e está realmente feliz?
- Você se levanta todos os dias e diz: "eu estou feliz por estar vivo"? Você continua sentindo essa felicidade durante todo o seu dia ou você possui momentos de crítica absoluta consigo mesmo e com as pessoas ao seu redor?
- Você se percebe com altos e baixos emocionais o dia inteiro – ou pelo menos três vezes por dia? Se sim, os seus altos e

baixos emocionais formam um padrão ou cada dia é completamente diferente?
- Você está com raiva de si mesmo ou dos outros?
- Você está chateado com a sua família por não ser o que você deseja?
- Você está chateado que o seu amigo ou alguma outra pessoa o machucou?

Como você responde às perguntas anteriores pode ter algo a ver com os seus programas genéticos e com como eles estão configuraria há gerações, por seus ancestrais possuírem os mesmos padrões. Muitas pessoas vêm de famílias que se instalam nos mesmos sistemas de crenças ensinados por gerações. A mudança desses padrões antigos acontece quando a essência da sua alma reconhece a necessidade de mudança das suas crenças.

TORNANDO-SE CONSCIENTE DOS PROGRAMAS DO PASSADO

Quando eu converso com os meus *ThetaHealers* que vêm trabalhando em suas crenças há muito tempo, muitas vezes eles estão completamente convencidos de que limparam todas as crenças negativas – o que é verdade porque o cérebro não pensa que tudo é negativo. Eles acham que já realizaram todo o trabalho de crenças necessário e não entendem por que a vida deles ainda não está da maneira que desejam. Eles me dizem: "eu fiz todo o meu trabalho de crenças, eu não sei o que estou fazendo de errado". O que eles estão esquecendo é que fizeram o trabalho pelo seu presente e futuro, e não pelo seu passado. O passado de cada um deles não diz respeito somente a eles, pois também é afetado pelas crenças dos ancestrais.

Você pode possuir uma crença que o faz temer a confiar em alguém, ou de que a vida é cheia de tristeza, ou que você está sempre pronto para a luta. Por que você possui essas crenças? O que está mantendo tais crenças dentro de você ou por que possui uma tendência em relação a elas?

Trabalho de Crenças – Exemplo 1

Cliente: "Eu sempre tenho de lutar por tudo".

Vianna: *"Quando isso começou? Quando foi a primeira vez que você teve esse sentimento de que sempre precisa lutar?".*

(Esse cliente é como muitos outros; quando eu pergunto essa questão, ele volta ao passado por um minuto antes de começar a falar.)

Cliente: "Oh, eu não me lembro, isso sempre esteve aqui".

Vianna: *"Bem, se você se lembrasse, quando isso começou?".*

Cliente: "Isso começou quando eu tinha 2 anos. Lembro-me do meu irmão vindo e me batendo, e se eu deixasse ele me bater sem lutar de volta eu teria grandes problemas – física, mental e emocionalmente – então, aprendi como lutar".

Vianna: *"Foi realmente aí que começou?".*

Cliente: "Sim, eu acho que sim".

Vianna: *"O que você aprendeu com isso e o que você ganhou com isso?".*

(Isso tudo está vindo do passado, quando o cliente era uma criança. Entretanto, algumas vezes as pessoas vão mais a fundo, para além das experiências da infância.)

Cliente: "Eu aprendi que precisava lutar por aquilo em que eu acreditava".

Vianna: *"Onde você aprendeu isso?".*

Cliente: "Eu não sei, simplesmente me lembro de estar sempre lutando".

Vianna: *"Bem, que tipo de memórias você possui a respeito disso?".*

Cliente: "O meu avô lutou na Guerra Civil, ao lado da União. Minha avó era do lado dos Confederados, então nunca houve paz entre eles".

Se você começar a fazer perguntas desse tipo de novo e de novo, as pessoas vão acessar as crenças de seus ancestrais no passado. Nós também podemos chegar a respostas que são muito mais profundas do que este tempo e este lugar, e isso vai ajudá-lo a entender a sua própria genética. Se você não conhece a sua mistura de DNA, então você pode fazer um teste de DNA para descobrir como ele se relaciona em proporções às heranças europeia, asiática, africana e nativo-americana. Uma vez possuindo essa informação, você pode usá-la para auxiliá-lo a destravar suas crenças ancestrais.

Outra maneira que nos ajuda a ir mais a fundo no nível histórico é a **grade de cristais**, que pode nos auxiliar a descobrir aonde esses padrões diversos começaram. Você não precisa se lembrar onde ou como o padrão começou para se dar conta de que ele veio de um ancestral. Então você pode perguntar: "Essa crença está me servindo agora?". Assim, você poderá descobrir que tal crença não lhe serve mais.

PRECONCEITO ANCESTRAL

O preconceito é algo que não nos serve aqui na Terra, mas nós carregamos preconceitos ancestrais que vêm de centenas e milhares de anos e que não nos são mais úteis na vida moderna. Ainda assim, esses preconceitos estão frequentemente enterrados tão profundamente dentro de nosso inconsciente, que eles estão no nível genético. À medida que você começa a cavar, você verá quanto o passado, o presente e o futuro estão interconectados. E tudo que precisamos aprender é compaixão, gentileza e a habilidade de nos comunicarmos; essas são as coisas que vão ajudar o planeta no presente e no futuro.

Para identificar preconceito ancestral, você deve começar perguntando: "O que aconteceria se você não tivesse esse preconceito?".

O cliente provavelmente vai responder algo do tipo: "Essas pessoas podem me dominar".

Em resposta, você pode dizer: "Esse sentimento é seu ou está vindo de algum outro lugar?" Então, faça o teste energético para os seguintes programas:

"Eu tenho preconceito contra essa raça".

"Eu tenho medo de ser dominado por essa raça".

"Eu tenho medo que essa raça vá me destruir".

Se o teste energético for positivo para essas crenças ou programas similares, provavelmente eles vêm do passado e podem ser mudados.

OS OLHOS: UMA JANELA PARA CRENÇAS GENÉTICAS

Muitas questões em relação aos olhos podem também ser antigas **crenças genéticas** que você carrega inconscientemente. Os olhos são as janelas da alma e, se você começar a limpar qualquer crença assim relacionada, então sua visão também poderá ser melhorada.

A seguir veremos algumas crenças que podem ser associadas com os olhos. Realize o teste energético para esses programas em voz alta e com os olhos fechados.

"Eu vejo as coisas apenas da maneira que eu desejo vê-las."

"As pessoas me enganam."

"Eu me sinto sem esperança."

"Eu não me sinto amável."

"Ninguém realmente me conhece."

"Ninguém pode realmente me ver."

"Eu sou invisível."

"Eu sou o reflexo dos meus erros do passado."

"A vingança me consome."

"Eu tenho medo do agora."

"Eu respeito e entendo o espaço das outras pessoas."

"As outras pessoas me respeitam e me veem."

"Eu me sinto desrespeitado pelos que estão ao meu redor."

Se o teste energético resultar em resposta "Sim" para esses programas, você precisará realizar trabalhos de crenças. Independentemente de estar trabalhando em si mesmo ou com um cliente, faça as seguintes perguntas para entender como e quando os problemas iniciaram:

- Quando essa crença se iniciou?
- Essa crença se iniciou recentemente?
- Essa crença se iniciou durante a sua infância?
- Essa crença se iniciou baseada em suas próprias experiências ou ela é simplesmente um fato?

Se a crença é um fato enquanto se refere à pessoa, ela é provavelmente genética e seus ancestrais provavelmente tiveram de lidar com muitas pessoas enganosas. Por exemplo, se alguém tem a crença de que "as pessoas me enganam", pergunte: "Quando foi a primeira vez em que você acreditou que enganaram você?".

A resposta pode ser: "Eu senti que estava sendo enganado quando tinha 8 anos de idade".

Quando o cliente entende que foi enganado quando criança, ele sabe por que não confia em ninguém. Ele entende que continuam trazendo pessoas que o enganam, porque isso é algo que ele aprendeu. O próximo passo é ensinar-lhe qual é a sensação de ser respeitado.

Se o cliente diz: "As pessoas sempre me enganam, é isso que elas sempre fazem", então você saberá que essa é uma antiga crença genética. Algum dos ancestrais do cliente não sabiam qual era a sensação de ser completamente respeitado. Pode ser verdade que eles foram enganados, mas eles acreditam que *todos* os enganam, então esse será o tipo de pessoa que eles atrairão.

A Terra possui todos os tipos de pessoas maravilhosas, mas, se você acreditar que as pessoas irão enganá-lo, então isso virá até você como um ímã.

Então você pode perguntar: "É necessário liberar essa crença para que eu possa seguir adiante?". Então, faça o teste para essas seguintes crenças:

"Eu posso ver quem são as pessoas antes que elas me enganem".

"Eu posso evitar pessoas que me enganem".

Se esses programas tiverem "Sim" como resposta ao teste energético, o cliente está aprendendo a evitar pessoas enganosas. Entretanto, se a resposta do teste for "Não", então ensine novamente às células do cliente qual é a sensação de ir adiante com esse aprendizado, com o *download* correto.

Como descrevi no capítulo 1 (veja a página 31) os *downloads* são uma maneira de transmitir sentimentos pelo Criador, e podem ensinar ao corpo e à mente diferentes maneiras de pensar e fazer as coisas, bem como servir de ajuda no trabalho de crenças. É possível fazer *download* de um enorme número de sentimentos e obter, como resultado, sentir-se melhor com a vida, mas você deve sempre entender *por que* você está criando a sua realidade atual.

Trabalho de Crenças 1: Passado, presente e futuro

Quando iniciamos o trabalho de crenças, nós podemos **realizar teste energético** para comportamentos, ideias, ou outros conceitos que o cliente gostaria de trabalhar.

A sua primeira pergunta deve ser: "O que você gostaria de trabalhar?".

O cliente pode responder o seguinte: "Eu gostaria de trabalhar o motivo de eu não conseguir fazer dinheiro".

Isto ocorre quando você pode entrar em contato com a parte do cérebro do cliente que funciona como um computador, por meio de questões como: *Quem? O quê? Onde? Por que? E como?* – de acordo com os seguintes exemplos ilustrativos:

Vianna: "Por que você não consegue fazer dinheiro nenhum?".
Cliente: *"Porque dinheiro é mau".*

O programa "dinheiro é mau" é geralmente criado no passado. Todas as vezes que você entra em contato com a parte subconsciente do cérebro, você deve perguntar: Por quê? Por qual razão isso ocorre? Como isso aconteceu? O quê? Quando? Onde?. Dessa forma, você mostra ao cliente como voltar ao passado e visualizar de onde esses comportamentos vêm.

Vianna: "Por que você acredita que dinheiro é mau?".

Cliente: *"Dinheiro é mau porque apenas pessoas que vão à faculdade têm dinheiro e as faculdades são más".*

(O que ele está dizendo é que pessoas que vão à faculdade têm dinheiro.)

Vianna: "O que isso significa para você?".

Cliente: *"Bem, eu não era esperto o suficiente para ir à faculdade. Pessoas que vão para a faculdade têm vantagem sobre mim. Eu era o estúpido, eu era o tolo".*

Vianna: "Ok. Onde isso começou?".

(Eu observei o cliente, à medida que ele voltava em sua mente.)

Cliente: *"Bem, isso começou quando eu era pequeno. Minha mãe sempre me disse que eu era um estúpido".*

Vianna: "Ok. Por que você sente que é um estúpido?".

(Ele voltou no tempo.)

Cliente: *"Por que eu era um erro, eu nunca deveria ter nascido".*

Vianna: "Por que você não deveria ter nascido?"

Cliente: *"Porque eu fui um filho não esperado. Eu nunca deveria ter nascido".*

É exatamente aí que se encontra a crença-chave de "Eu nunca deveria ter nascido", e ela nada tem a ver com dinheiro. Quando você encontrar a crença raiz, traga-a para o momento presente.

Vianna: "Como isso está lhe servindo neste momento?"

Cliente: *"Bem, se eu sou um erro, eu realmente não preciso tentar. Eu fui um erro, então eu não tenho nenhuma pressão para ser mais do que isso".*

*(Foi nesse momento que a **cadeia de crenças** do cliente veio para o presente.)*

Vianna: "Se você modificar isso, o que irá acontecer? Se nós mudássemos isso e você realmente tivesse algum valor, o que iria acontecer?

Cliente: *"Se eu fosse importante, se alguma coisa acontecesse e isso mudasse a minha vida, então eu teria de ser responsável e fazer algo com a minha vida – mas eu tenho medo de falhar".*

(Foi nesse momento que o cliente foi para o futuro.)

Como você pode ver, o trabalho de crenças vem do passado para o presente e então para o futuro. Se focássemos apenas no "agora", o cliente não teria se aberto para mudanças e crescimento.

Trabalho de Crenças 2: Trabalho de Futuro

A **manifestação** é, em sua própria natureza, um meio de projetar mudanças ou criações no futuro. À medida que isso se relaciona com o trabalho de crenças, você pode oferecer aos clientes o conhecimento sobre o que a manifestação vai significar para eles no futuro.

Vianna: "Se você tivesse todo o dinheiro que sempre quis, o que você criaria?"

O cliente pensa sobre essa questão e vai até o futuro com a sua mente.

Cliente: *"Eu criaria um grande e bem-sucedido centro de cura".*

Mas, se o cliente começar a criar em sua mente, ele começará a refletir sobre o que realmente significaria possuir um centro de cura.

Cliente: *"Se eu criasse um centro de cura, eu precisaria ficar lá o tempo todo. Eu nunca teria a minha liberdade. Eu nunca teria tempo para mim mesmo".*

Isso é o trabalho de crenças do futuro utilizando a manifestação e os exemplos anteriores mostram como a mente consciente ajuda o subconsciente a entender, subitamente, as consequências da manifestação e quão severos resultados são possíveis. Primeiramente, o subconsciente pode estar bloqueando a manifestação porque ele a percebeu como uma ameaça. Ou pode ser que o cliente possua medos e crenças limitantes para serem trabalhados. Ou, ainda, pode ser que ele realmente não deseje aquela manifestação.

> **Nós nos colocamos em certas situações e circunstâncias que protegem o nosso bem-estar (em algum nível). Na verdade, essas situações nos impedem de avançar no futuro.**

Se você olhar para a atual situação da sua vida e estar no momento presente, você pode parar para perguntar: "Como essa situação está me servindo no agora?". Então, você pode pensar em todas as coisas diferentes que está aprendendo com essa situação. isto. Se você perguntar: "O que aconteceria se essa situação mudasse?", então você pode tomar *conhecimento* e *trabalhar* todos os medos que você possua sobre o que pode mudar em seu futuro.

Os medos podem começar no passado, mas estão sempre no futuro. O subconsciente começa a viajar para o futuro para supor qual seria o resultado mais provável. Ele começará um cenário provável de eventos que acha que podem vir a acontecer. A mente, então, trabalha e especula sobre o futuro, e pensa: *se isso acontecer, então isso acontecerá e, se isso acontecer, isso acontecerá, e assim por diante*. Ao fazer isso, você enfrenta o medo e passa por ele.

PROGRAMAS DE CRÍTICA

Como *ThetaHealers*, devemos explorar os sistemas de crenças de tudo o que sentimos e decretamos no dia a dia de nossa existência. Se você perceber que se levanta de manhã e fica zangado com seus filhos por não serem o que você quer que eles sejam, você pode ter herdado uma tendência genética para críticas. No entanto, vale a pena lembrar que a crítica é também um dos nossos mecanismos naturais de sobrevivência, visto que é necessária para o nosso bom senso de julgamento – para nos ajudar a permanecermos seguros e a sermos cautelosos quando necessário. Na verdade, a capacidade de comparar os outros com a nossa própria moralidade, com nossos próprios ideais, e ser capaz de dizer: "isso não é o que eu quero ser", é apenas uma das muitas crenças incríveis que aprendemos dos nossos ancestrais. Mas, ao longo do tempo, ser excessivamente crítico em relação a nós mesmos e aos outros pode se tornar mais do que apenas a capacidade de julgar o que não queremos ser, e se tornar um dos sentimentos negativos mais degradantes; essa forma excessiva de crítica é capaz de reduzir nossa energia mais do que qualquer outra coisa e serve apenas para nos manter no limbo.

Então, o julgamento adequado é útil em certas partes de nossas vidas – especialmente se o seu trabalho é ser um crítico de cinema, neste caso talvez você queira manter esse tipo de julgamento –, mas, se você está ocupado criticando seus pais, sua família, seus irmãos, seu amigos, e assim por diante, você está usando enormes quantidades de energia que poderiam ser aplicadas à cura, à criação do seu mundo e da sua realidade. Se você perguntar ao seu cérebro por que você precisa disso, seu cérebro pode lhe dar a seguinte mensagem: "Se eu não mudar, eu não tenho de falhar, eu não tenho de tentar, eu não tenho de realizar nada, eu posso apenas ficar aqui no limbo".

Uma das principais crenças que nos mantém congelados no presente é o julgamento negativo de nós mesmos e dos outros.

Algumas pessoas, na verdade, emitem um sinal permitindo que outras pessoas as critiquem, por meio da emissão do pensamento: "Se eu não estou fazendo isto corretamente, todos irão perceber". Não seria melhor modificar este comportamento?

Utilize as seguintes questões para cavar e encontrar a crença-chave:

- Quando isto começou?
- Como isto o ajuda?
- O que isto pode fazer por você, além de mantê-lo no limbo?
- Isto o mantém no limbo para que você possa descansar?
- Isto o mantém no limbo para que você não precise tentar por alguns dias?
- Isto o faz sentir-se bem?

Como *ThetaHealers*, temos uma maneira de olhar para a vida de outras pessoas. Se você consegue intuitivamente visualizar a vida de uma pessoa, você aprendeu a viver sem criticá-las naquele momento. Quando você olha para dentro delas, e você o faz sem preconceito ou críticas, você pode visualizar a verdadeira intenção de seus corações. Se pudéssemos visualizar a verdadeira intenção do coração, nós mudaríamos completamente dentro de nós mesmos. Se pudéssemos mudar completamente, o que aconteceria? (É dessa maneira que perguntamos no trabalho do futuro.)

Bem, se mudássemos completamente, mudaríamos tanto que não quereríamos permanecer neste planeta: evoluiríamos, nós nos tornaríamos uma forma de vida mais elevada e talvez quiséssemos levar nossa família conosco. Nós nos tornaríamos uma essência espiritual – uma vibração espiritual mais elevada – e deixaríamos este mundo para trás. Talvez agora você possa entender como até mesmo pequenos comportamentos, como a crítica, podem nos ancorar em padrões que nos ancoram a esta Terra, a esta existência.

Fofoca, Distorção e Desunião

Fofoca, distorção e desunião são formas de julgamento e crítica indelicadas contra os outros e podem nos impedir de evoluir. Eu sempre achei que a fofoca era pegar a verdade e mudá-la um pouquinho, mas isso é, na verdade, chamado de "distorção". Distorção ocorre quando alguém aprendeu a distorcer a verdade em benefício próprio e isto pode incluir desunir as pessoas – contando apenas parte da verdade, suficiente para fazer duas ou mais pessoas se virarem umas contra as outras, na tentativa de beneficiar a si mesma. A fofoca comum é qualquer coisa falada que, caso a pessoa a escute, pode ferir seus sentimentos, enquanto a fofoca maliciosa é inventar mentiras maldosas e indelicadas.

Essas ações – distorcer, desunir e fofocar – ocupam a mente e indicam falta de responsabilidade e incapacidade de alcançar algo na vida. O que está acontecendo na sua vida? Você está no limbo? Está tudo parado em sua vida? Você é incapaz de manifestar mais dinheiro do que você absolutamente precisa? Como a sua mente está trabalhando para você?

Lembre-se de que sua mente está sempre trabalhando para você. Ela está sempre tentando ajudá-lo. No ThetaHealing, não apenas ensinamos qual é a razão de você estar fazendo o que está fazendo, mas também ensinamos a ter compaixão por você mesmo, para perceber que sua mente não está sendo maliciosa; não está tentando sabotar você, está tentando ajudá-lo.

Se fofocas e/ou críticas estiverem o deixando no limbo, use os seguintes *downloads*:

"Eu sei viver sem fofocar sobre os outros".
"Eu sei viver sem fazer fofocas maliciosas sobre os outros".
"Eu sei como viver sem criar distorções sobre os outros".
"Eu sei viver sem desunir as pessoas".
"Eu sei como ter paciência para com os outros".
"Eu sei ver a verdade nos outros sem destruir as pessoas".
"Eu sei como aceitar os outros sem ter de ser igual a eles".
"Eu sei qual é a sensação de viver sem criticar a mim mesmo".
"Eu sei qual é a sensação de viver sem criticar os outros o tempo todo".
"Eu sei viver sem estar no limbo".
"Eu sei como ver a verdade dos outros".
"Eu sei como parar quando começo a entrar em velhos padrões de crítica".

PERCEBENDO O FUTURO

Se você não consegue entender por que você possui uma crença, ela provavelmente é ancestral. Então você pode fazer a seguinte pergunta: "Por que meus ancestrais acreditaram nisso?". E você provavelmente obterá uma resposta. Então, você pode dizer: "Eu acabei com isso? Eu preciso disso na minha vida? O que acontecerá se isso não estiver mais na minha vida?".

Neste ponto, você terá completado os diferentes níveis nos quais você pode trabalhar em uma crença. E muitos *ThetaHealers* encontram a **crença histórica** raiz ou chave do passado, mas nunca avançam para:

- O que aconteceria se eu mudasse isso?
- Como isso está me ajudando?
- Se eu mudar isso, o que vai acontecer?

Se você fizer essas perguntas, terá uma melhor compreensão do que acontecerá no futuro.

MODIFICANDO CRENÇAS

Nem sempre precisamos realizar um trabalho de crenças para que possamos modificar uma crença, pois, muitas vezes, quando reconhecemos que temos um hábito, nosso cérebro pode mudá-lo. O cérebro funciona como um computador perceptivo, e mudará seus hábitos quando percebe que é necessário – e faz isso o tempo todo. Por exemplo, alguém que, repetidamente, possui relacionamentos abusivos pode perceber que continua repetindo os mesmos padrões, e depois encontrar um parceiro que realmente o ama, visto que a lição sobre o abuso foi aprendida.

Entretanto, no trabalho de crenças, podemos mudar as crenças muito mais rapidamente indo até uma onda cerebral Theta, localizando a crença e mudando-a rápida e eficientemente. Mudar uma crença significa que, de alguma forma, descobrimos que o padrão não é mais necessário, mas não significa necessariamente liberá-lo e substituí-lo – porque ele pode ser uma experiência de aprendizado do passado que tenha algum núcleo de valor para a pessoa. Um dos maiores erros que as pessoas cometem em ThetaHealing é simplesmente liberar crenças, antes de entender como elas ajudaram e serviram a pessoa.

Um bom exemplo disso é a crença de "eu fiz um **voto** de pobreza". Muitas pessoas se inspiram para comandar que todos os votos de pobreza sejam eliminados. Mas mudar todos os juramentos anteriores dessa maneira ameaçará uma mudança total, para a frente e para trás na história. Isso significa que, se alguém em nossa história passada também estiver aprendendo essa lição, a crença voltará. Se você testar energeticamente positivo para o programa de "Eu tenho um voto de pobreza", então a solução é subir e comandar: "Este voto foi finalizado", e então você pode seguir adiante. Isso muda a crença em vez de liberá-la.

Mudar as crenças é finalmente ser capaz de entender o seu passado, presente e futuro; entender de onde vêm as crenças e como elas o ajudam a se autocompreender. Nada na nossa vida ocorre ou existe sem que haja um significado.

Tudo têm um significado. Tudo o que você fez, todas as suas experiências fazem de você quem você é.

Use os *downloads* a seguir para ajudar você a avançar:

"Eu sei qual é a sensação de viver sem ficar preso no passado".

"Eu sei qual é a sensação de acolher o meu passado, presente e futuro para seguir em frente".

"Eu sei como entender meu passado, presente e futuro para criar uma realidade melhor".

"Eu sei qual é a sensação de ser importante para meus ancestrais".

Capítulo 4

Os Princípios do Digging

Neste capítulo abordaremos os princípios do digging para encontrar a crença-chave ou raiz.

1. FAZENDO DOWNLOAD DE CRENÇAS

Existem alguns atalhos para buscar a crença-chave ou raiz, mas muitos profissionais evitam o trabalho de digging e usam apenas *downloads* em uma sessão de trabalho de crenças. Baixar sentimentos é uma arte de cura usada no trabalho de crenças para introduzir qualquer sentimento que seja necessário. Mas os *downloads* são apenas *parte* do trabalho de crenças e nem sempre revelam a crença-chave.

À medida que você escuta as declarações do cliente, elas podem indicar a necessidade de *downloads*. Alguns bons indicadores são quando um cliente diz: "Eu não sei o que é" ou "eu não sei qual é a sensação". O *download* de sentimentos pode ajudar a perfurar a bolha ou o escudo que o subconsciente criou em torno da crença-chave, como descrito na Introdução – mas não ser suficiente para liberá-la. Fazer o *download* de sentimentos é útil, mas cavar por crenças é mais eficaz para o processo geral de cura.

Como descrito anteriormente no livro, o *download* de crenças é útil porque a mente subconsciente não se livra facilmente de crenças se acredita que elas estão servindo a um propósito. Embora às vezes seja melhor baixar um sentimento para ajudar a liberar a crença ao longo do tempo, para trazer o sentimento à consciência, para que a crença possa ser liberada, você precisa encontrar a crença-chave – e seu propósito – para ter certeza de que ela foi modificada.

Lembre-se de que toda crença negativa está conectada a uma crença positiva e, então, ambas precisam ser modificadas.

2. IDIOMA

Algumas crenças centrais podem ter sido criadas em um idioma diferente do que está sendo usado hoje. Por esta razão, faça o comando ou peça a substituição de uma crença ou faça o *download* de um sentimento em todas as línguas faladas – tanto na língua materna do cliente como em todas aquelas já faladas pelos seus antepassados. Só precisa haver um comando universal para qualquer idioma.

Exemplo do comando: "Criador, faça os *downloads* neste cliente em todos os idiomas que ele e seus ancestrais já utilizaram".

Isso significa que o *download* está adentrando o espaço do cliente.

3. TRABALHO DE CRENÇAS DE MÚLTIPLA PERSONALIDADE

Ao trabalhar com pessoas com múltipla personalidade ou desordem de dissociação, nunca ordene que as diferentes personalidades se integrem em uma só pessoa. Para fazer o trabalho de crenças, basta baixá-lo em todas as personalidades.

4. A PALAVRA NÃO

Muitos psicólogos acreditam que o subconsciente não entende a palavra "não". Portanto, para obter uma resposta precisa no teste energético durante o processo de trabalho de crenças, evite utilizar "**não**" e diga ao cliente para omitir essa palavra de suas declarações. Por exemplo, um cliente não deve usar uma declaração como "Eu não me amo" ou "Eu não posso me amar".

Para testar adequadamente um programa, a declaração do cliente deve ser "Eu amo a mim mesmo, não" ou "Eu amo a mim mesmo". Então, você pode fazer um teste energético negativo ou positivo para este programa com uma resposta "Sim" ou "Não". Se o cliente precisar que o programa seja alterado, você poderá substituir "Eu amo a mim mesmo, não" por "Eu amo a mim mesmo".

Embora muitos psicólogos acreditem que o subconsciente não entende a palavra "não", eu acredito que muitas pessoas *entendem* essa diferença subconscientemente. Entretanto, existem muitas pessoas que não o entendem, então faz sentido evitar o uso dessa palavra quando você estiver começando a realizar o trabalho de crenças.

5. COMECE O TRABALHO DE DIGGING FAZENDO PERGUNTAS COM AS PALAVRAS-CHAVE

Comece o trabalho de digging fazendo perguntas com as seguintes palavras-chave:

- Quem?
- O quê?
- Onde?
- Como?
- Quando?

Estas são as palavras-chave para perguntas que o cliente utiliza em uma sessão de digging. "Quando isso começou?", "Como isso ajudou você?", "Quem estava com você?", isso ajudará você a não apenas procurar pelas crenças negativas, mas também mostrará como elas estão servindo ao cliente.

6. VERDADES EXTREMAS: CRENÇAS QUE NÃO PODEM SER ALTERADAS

Existem algumas crenças que não podem ser mudadas, as quais são chamadas **verdades absolutas**. Aqui estão alguns exemplos:

- O praticante não pode programar alguém para acreditar que o Sol não surgirá amanhã ou que a Terra parará de girar.
- O praticante não pode programar alguém para ser um cachorro.
- O profissional não pode mudar o livre-arbítrio ou a liberdade de escolha de outra pessoa.
- O praticante não pode programar outra pessoa para amar alguém quando ela não o ama.

Por exemplo, uma de minhas alunas acreditava que era Joana d'Arc e percebi que isso causava desafios quando ela estava junto a outro aluno durante a prática de trabalho de crenças.

Eu perguntei a eles: "O que está acontecendo?".

A estudante no papel de praticante me disse: "Estamos trabalhando porque ela tem de sofrer o tempo todo. Ela acredita que é Joana d'Arc. Não importa o que eu faça, não posso mudar essa crença.

O praticante não conseguiu mudar essa crença porque era verdade de alguma forma. Pode ser que a estudante estivesse geneticamente relacionada com Joana d'Arc ou tivesse algum tipo de conexão com ela. Ao invés de extrair a crença de "Eu sou Joana d'Arc", a praticante precisava mudar os programas associados em torno da energia de "Joana d'Arc" que não estavam servindo a ela, como, por exemplo, "eu tenho de morrer para servir a Deus" ou outros programas semelhantes.

Se ela tinha de sofrer por acreditar na afirmação "Eu sou Joana d'Arc", então os aspectos negativos poderiam ser modificados, sem perder tempo trabalhando em algo que ela acreditava ser verdade. Essa crença só precisava de alguns *downloads* e ela poderia continuar com sua vida.

Da mesma forma, se alguém testar energeticamente positivo que o seu cônjuge está o traindo, isso pode ser em razão da falta de confiança e necessidade de trabalhar em suas crenças. Trair pode significar que ele é desonesto de alguma forma, mas não significa necessariamente que ele está tendo um caso com outra pessoa. A psique está lhe dizendo que algo está errado, mas a verdade é que algo precisa ser verificado. Também pode ser que sua intuição esteja certa e que seu cônjuge o esteja traindo.

Se, depois de trabalhar nas crenças, o cliente ainda tiver um resultado positivo no teste energético para a mesma questão, e o cônjuge estiver realmente traindo, então o teste sempre dará uma resposta positiva.

Por fim, é importante lembrar que você não deve tentar retirar e substituir uma verdade absoluta, como "O que não o mata o fortalece", porque isso é na verdade um sistema de crenças benéfico do sistema imunológico e ele sempre irá substituí-lo.

A verdade de uma pessoa

Um dos meus alunos mais desafiadores veio até mim e disse: "Eu tenho a crença de que 'eu tenho de me provar para você'. Eu a modifico, mas ela volta". Ele estava sempre tentando empurrar sua vontade sobre os outros e eu admito que estava com medo de deixá-lo ser instrutor. Quando testei energeticamente a mim mesma, eu tinha a crença de que ele tinha de provar a si mesmo para mim. Essa era a minha verdade projetada nele, que ele estava aceitando. Então, mudei minha crença para "Ele tem de se provar para Deus". Eu também mudei essa crença em mim mesma, pois ela se relacionava com todos os meus alunos, sabendo que meu trabalho era apenas ensiná-los.

7. NEM TODAS AS CRENÇAS PRECISAM SER MUDADAS

Nem todas as crenças precisam ser mudadas. Tenho alunos que vêm até mim e dizem: "Vianna, quero tirar minha teimosia". Nesses casos, sempre sugiro não mudar essa característica, pois também pode ser uma das suas melhores qualidade. Por quê? Porque a teimosia faz dessas pessoas quem elas são; elas precisaram da teimosia para chegar aonde estão agora.

Da mesma forma, você não pode retirar o sentimento de raiva ou de medo. A raiva tem um aspecto positivo quando o cérebro envia sinais de alarme em momentos de perigo. Todos ficam com raiva ou com medo de tempos em tempos, porque esses são ambos reflexos de sobrevivência humana. Entretanto, é possível liberar uma obsessão de raiva ou um medo ou fobia específicos que não nos servem.

Por outro exemplo, eu tinha uma amiga que era obsessiva compulsiva e queria ser curada. No entanto, essa qualidade específica a tornava maravilhosa para organizar documentos, então sugeri que ela mantivesse parte da crença e que a alterasse, para que pudesse ser útil a ela.

Como uma capricorniana, uma das minhas melhores características é que eu sou mandona: eu espero que as coisas sejam resolvidas para ontem e eu mesmo as resolverei se for preciso; isso também me faz uma ótima chefe. Eu posso ver o que precisa ser feito e posso executar múltiplas tarefas. Casei-me com um homem mandão do signo de Áries que, assim como eu, acha que ele está sempre certo, e nós formamos uma ótima dupla. Eu também tenho um temperamento forte que mantenho bem sob controle, mas meu marido Guy ainda pode percebê-lo – é maravilhoso e eu acho que ele gosta. Eu não quero mudar meu temperamento, só quero controlá-lo e reservá-lo para emergências, então o vejo como uma qualidade que não quero mudar. Eu quero ser boa e gentil, mas também sei quando não ser.

O que você pensa ser o seu pior defeito pode ser levemente alterado para se tornar a sua melhor qualidade, sem que nenhuma crença seja mudada.

8. PERMISSÃO VERBAL PARA DOWNLOADS

Às vezes os praticantes dizem que outras pessoas tentaram baixar sentimentos sem a permissão deles. Mas isso vai contra a lei do livre-arbítrio; os estudantes estão meramente sendo intuitivos e sentindo os pensamentos negativos dos outros. Lembre-se de que os pensamentos negativos não podem nos afetar, somente se dermos a nossa permissão a outra pessoa ou aceitemos a forma-pensamento. Eu também acredito que o carma existe em algumas circunstâncias e que tratar os outros mal pode trazer esse tipo de energia de volta para você, mas outros não podem fazer *downloads* ou o amaldiçoar sem a sua permissão.

Por exemplo, eu tinha uma professora, a qual trabalhava em outro país e que dizia que amaldiçoaria seus alunos se eles fossem para outro professor. É claro que ela fez isso para colocar medo nos seus alunos e proteger a sua prática. Uma vez que seus alunos perceberam que ela não poderia amaldiçoá-los, eles a deixaram – mas um pouco de medo permaneceu. Eu a corrigi? Claro que sim. Ela parou de fazer isso? Sim. Mas já tinha feito um dano. Os alunos antigos dizem aos novos alunos o que ela fez e a energia dessa atitude ainda continua. É uma pena, porque essa mulher é uma boa curadora. Porém, pode haver algumas pessoas que consigam amaldiçoar os outros, mas isso nunca irá afetá-lo se você enviar a maldição para a luz.

– LEMBRETE IMPORTANTE –

Lembre-se sempre de que a pessoa que recebe o trabalho de crenças deve lhe dar verbalmente permissão total para remover e substituir os programas.

Nós temos o livre-arbítrio para manter quaisquer programas de crenças que escolhermos. Outra pessoa não pode alterar esses programas sem a nossa permissão verbal. Isso não irá funcionar.

9. REALIZANDO *DOWNLOADS* EM OBJETOS

Além de realizar *downloads* de sentimentos e crenças em seu subconsciente, você também pode trazer qualidades enriquecedoras aos objetos da sua casa e do escritório, para que eles o envolvam em um campo de vibrações positivas. Qualquer objeto inanimado pode receber *downloads* com qualidades positivas para melhorar sua vida, mas você só será afetado pelo objeto se você tiver o receptor para o programa ou sentimento dado ao objeto. Por exemplo, se eu fizer o *download* de conforto no meu sofá, a pessoa que se sentar nele precisa saber qual é a sensação de conforto, para poder experimentar o *download* realizado no sofá.

Embora também existam alguns objetos inanimados que não podem receber *downloads*, como a pedra jade, você sempre precisa perguntar primeiro ao objeto se pode fazer o *download* – porque tudo o que existe tem livre-arbítrio. Há casos em que alguns objetos recusam o *download*, mas 99% irão aceitar, pois acumulam energia por sua própria natureza.

Você não pode fazer *download* em alimentos ou objetos para afetar as pessoas de maneira negativa, pois o objeto ou a pessoa o rejeitará. Qualquer objeto só pode receber *downloads* que melhorem as qualidades que ele já tem, e não programas negativos que não possui.

10. TRABALHO DE CRENÇAS BAND-AID

Muitos praticantes usam o que chamo de "crenças band-aid" em uma sessão ou em si mesmos. É quando eles usam *downloads*, em vez de cavar pelas crenças-chave, como ilustrado no exemplo a seguir.

Eu posso estar dirigindo pela estrada e pensar: "Eu sou tão burra, eu esqueci de fazer isso". Eu percebo que estou me chamando de burra e sei que isso é algo que preciso mudar – algo que pode estar me impedindo de ser a pessoa que eu preciso me tornar. Pode ser que seja necessário realizar um trabalho de crenças para descobrir onde isso começou, mas eu não tenho tempo naquele momento, então faço o *download*: "sou esperta, inteligente e estou indo muito bem".

Esses *downloads* não demoram muito e podem me ajudar de alguma forma. Mas a verdade é que eu preciso descobrir *onde* o programa negativo começou e *como* ele está ou não está me servindo, e como isso me serviu antes, para que eu possa limpá-lo completamente. Então, quando você não realiza o trabalho de crenças por completo, isso é chamado de trabalho de crenças "band-aid". Quando você tiver tempo, determine algum espaço em sua vida para cavar mais fundo e limpar quaisquer crenças autolimitantes.

11. PROGRAMAS NEGATIVOS

O subconsciente não sabe a diferença entre um programa negativo ou positivo ou um *download*, por isso não podemos simplesmente comandar que todos os programas negativos sejam eliminados instantaneamente. Lembre-se sempre de que é a mente consciente que toma a decisão entre um programa negativo ou positivo e um *download*.

12. DOWNLOAD DE PROGRAMAS NEGATIVOS

O subconsciente também é inteligente e não aceita *downloads* negativos em 99% dos casos, mas nunca diga sim a um *download* negativo. O subconsciente nem sempre sabe a diferença entre *downloads* e crenças negativas ou positivas, por isso, não é uma boa ideia baixá-los se forem negativos. Se a mente subconsciente aceitar o *download* de um sentimento negativo, é exatamente isso que ela criará. É a mente consciente que toma a decisão entre programas ou *downloads* negativos ou positivos.

Até mesmo alguns programas – que a princípio podemos achar positivos – podem ter um efeito estranho. Por exemplo, baixar o programa de "Eu sei viver sem nada", quando o que você realmente quer é abundância. O mesmo se aplica ao *download* do sentimento e conhecimento de "Eu conheço a depressão na perspectiva do Criador de Tudo o Que É", pois isso é exatamente o que você obterá – a pura e absoluta essência da depressão. Mesmo que você siga com "Eu sei como é viver sem depressão" ou "Eu sei como evitar a depressão", o subconsciente pode tentar criar a depressão de qualquer maneira.

Seu subconsciente rejeita esses tipos de *downloads* estranhos em 99% dos casos, mas eles ainda podem causar uma confusão desnecessária.

Para o Criador, temos o livre-arbítrio para experimentar a vida como nós escolhemos e obteremos exatamente o que pedimos. É por isso que devemos evitar o *download* de sentimentos negativos, mesmo que façamos isso em um esforço para criar um resultado positivo e usar um sentimento positivo em seu lugar. Por exemplo, um *download* de sentimento muito melhor pode ser "Eu sei viver sem estar deprimido" ou "Eu sei o que é viver sem depressão". Também é uma boa ideia evitar o *download* de programas semelhantes a "Eu sei o que é depressão" ou "Eu sei o que é abuso".

Há sempre uma razão positiva pela qual o subconsciente se apega a uma crença-chave negativa. Isso ocorre porque o subconsciente não pode separar as crenças negativas ou positivas em categorias – e é por essa razão que não podemos comandar que todas as crenças sejam retiradas de uma só vez. Uma crença negativa serve a um propósito de alguma forma e é sempre mantida por uma razão positiva. Em vez disso, você deveria perguntar: "O que eles ganham por ter essa crença?".

Por exemplo, um cliente pode dizer: "Tudo o que faço dá errado".

Você deve responder perguntando: "O que você aprendeu, conseguiu ou ganhou por ter essa crença?".

O cliente pode responder: "Desde que eu acredite que vai dar errado, eu não preciso tentar, posso ficar onde estou e assim estou seguro".

13. DOWNLOADS POSITIVOS COM RESULTADOS NEGATIVOS

Existem alguns *downloads* que podem ser considerados positivos, mas têm efeitos estranhos que causam estresse. Um exemplo disso pode ser: "Eu sei como lidar com conflitos". Para o Universo, isso significa que você deve aprender a lidar com conflitos. Este *download* provavelmente trará conflito, já que é exatamente o que você está pedindo para aprender.

Quando eu era pequena sempre evitava confrontos porque tinha medo de magoar os sentimentos de outras pessoas e, pela mesma razão, não sabia como dizer "não". Mas, quando fiz o *download* "Eu sei lidar com confrontos", percebi que a mim ocorreram mais confrontos do que nunca. A maneira correta de fazer o *download* desse programa seria: "Eu sei quando e como lidar facilmente com os confrontos". Agora eu sei lidar com qualquer confronto no início de uma relação e sei quando e como dizer "não". Isso me economiza muito tempo.

Outro exemplo pode ser fazer o *download* de paciência. Você irá criar situações para que aprenda como ter paciência?

Mas, se você fizer o *download* de já possuir paciência, não criará tantas situações estranhas para ensiná-lo a tê-la. Em outras palavras, se você fizer *download* de habilidades que devem ser praticadas antes de obtidas, elas podem ser praticadas de maneira mais positiva quando baixadas do modo correto e com a energia certa. Por exemplo, o *download* correto seria: "eu sei como, quando e é possível ser paciente no agora". (Isso eliminará o estresse.)

Para dar outro exemplo, uma vez eu experimentei pura alegria e felicidade por sete dias sem qualquer raiva, depressão, crítica ou irritação – apenas alegria perfeita. Nada me incomodou até o sétimo dia, quando me perguntei se havia algo errado comigo e logo depois isso parou; a alegria se foi. Para descobrir por que a alegria se foi, fiz um trabalho de crenças em mim mesma com o Criador e fiz o *download* em mim mesma: "Tudo bem que eu esteja alegre, constantemente".

À medida que você aprende virtudes, descobrirá que suas habilidades se desenvolvem também. Sua alma é, na verdade, inspirada para aprender bondade, alegria e paciência. Porém, quando você fizer o *download* desses sentimentos, use a energia das palavras "Eu já sei como ter paciência, bondade", e assim por diante. Depois de baixar essas virtudes, ainda é necessário praticá-las para ensinar a mente como usá-las automaticamente.

14. IMPONDO CRENÇAS

Nem todo mundo que vai a um curador vai querer fazer um trabalho de digging, mas provavelmente precisará dele. Ao fazer uma leitura, você verá se o cliente tem crenças que lhe causam questões, mas também é importante evitar impor suas crenças a eles. Usar o procedimento correto para o teste energético e garantir que o cliente repita a declaração em voz alta evitará que isso aconteça (consulte a página 37). Isso é porque a forma correta de fazer o teste energético é quando dizemos a declaração do programa em voz alta. Pensar a crença e depois testar sem pronunciá-la verbalmente não funciona, como ilustra o exemplo a seguir:

Uma de minhas alunas ficou muito chateada porque "supostamente" descobriu que seu pai a havia molestado quando criança.

Vianna: "Como você descobriu que isso aconteceu?".

Aluna: *"Eu fiz o teste energético para isso".*

Vianna: "Você literalmente falou em voz alta: Meu pai me molestou quando criança?".

Aluna: *"Não, outro praticante 'pensou' no programa para mim e disse que eu testei positivo para isso".*

Vianna: "Deixa eu fazer o teste energético para este programa. Diga: 'Meu pai me molestou' em voz alta e feche os olhos enquanto você diz isso".

Ela testou o programa e a resposta foi "não", então eu a conduzi em uma grade de cristais em estado de transe para ela se lembrar da sua infância. Ela não teve nenhum problema de moléstia no seu passado e poderia continuar amando seu pai como ela sempre amou.

15. QUANDO UM CLIENTE DIZ "EU NÃO SEI"

Quando alguém diz "eu não sei" em uma sessão, a declaração pode significar várias coisas. Alguns clientes entrarão em círculos respondendo "Eu não sei" para todas as perguntas. Isso pode significar:

- Eles estão verdadeiramente perdidos em relação aos seus sentimentos.

- Eles estão evitando um assunto delicado ou seu subconsciente está protegendo a crença-chave.
- Eles realmente não sabem de onde vem uma crença.

Se alguém disser "Eu não sei" durante o processo de digging, pergunte: *"Mas e se você soubesse?"*. Essa pergunta estimulará o cliente a dar uma resposta que poderá levar à crença-chave.

Se isso não funcionar, esta é a sua deixa para tentar realizar o *download* dos sentimentos que o cliente pode não conhecer, como "Eu sei qual é a sensação de estar seguro" ou "Eu sei qual é a sensação de ser amado". Isso pode ajudar a guiá-lo para a crença-chave.

16. QUANDO UM CLIENTE NÃO SE CURA?

Nós trabalhamos com médicos para trazer cura, mas às vezes as pessoas se agarram a uma doença ou a uma crença porque acreditam que a cura é impossível ou por outro motivo. Por exemplo, uma vez tive um aluno que fez três curas bem-sucedidas depois que aprendeu ThetaHealing. As três primeiras sessões funcionaram e a última não, e, por isso, o cliente disse: "Eu parei com ThetaHealing, pois não funcionou". No entanto, os motivos a seguir também podem impedir a cura de um cliente:

- O praticante não estar sendo gentil ou não estar sendo atencioso.
- O praticante tem medo da doença.
- O ego do praticante.
- O praticante estar projetando suas próprias crenças em vez de trabalhar com as crenças da outra pessoa.
- O praticante se sentir magoado quando a pessoa não se curar imediatamente.
- O praticante se sentindo apegado ao resultado da sessão.

> **Para mim, vale a pena se uma em cada dez pessoas se curar.
> Se você mudar as crenças de alguém e fazê-lo acreditar que Deus o ama, isso já é uma cura.
> E se alguém não estiver se curando, limpe sua mente e pergunte a Deus por que a cura não está funcionando.**

Eu sei imediatamente se a cura vai funcionar ou não quando o cliente diz: "Eu tenho *(por exemplo, uma doença)* e não há nada que alguém possa fazer". Outra declaração é "A única maneira de melhorar seria fazendo uma operação". Então eu farei uma cura para que eles tenham uma boa operação. Eu posso treinar alguém para ir fundo em um estado Theta e eles podem ser o melhor curador, mas, se o cliente não quiser melhorar, então não há muito o que alguém possa fazer. Mas, como curador, se estamos sempre conectados ao Criador, então acredito que 90% das curas funcionem quando o cliente é receptivo ao processo.

Também acho que trabalhar com clientes no Sivananda Ashram ajuda porque eles acreditam que podem melhorar. Nesses casos, porque eles acreditam na cura, acho que não preciso fazer trabalho de crenças. Eu apenas faço uma cura e eles melhoram. Também temos de aceitar a verdade imutável de que as pessoas morrem e, como curadores, podemos ajudá-las a ir para a luz quando a hora chegar.

17. COMPREENDENDO O PROCESSO

Para ser um praticante eficiente de trabalho de crenças é preciso permitir que o cliente reconheça suas questões por si mesmo. Ainda que você não encontre a crença-chave na sessão, é provável que a mente subconsciente do cliente reconheça que existe algo que precisa ser mudado (desde que não perceba a mudança como uma ameaça).

18. EVITE O DRAMA

Evite ficar emocionalmente envolvido com o drama do cliente. Toda emoção que surge diz respeito ao cliente, não a você. Não importa o que o cliente faça ou diga, você deve permanecer neutro para ajudá-lo. Essa clareza pode ser alcançada ao trabalharmos em nossas próprias questões, embora eu perceba que isso pode ser difícil às vezes. Quando me envolvo emocionalmente com um cliente, vou ao Criador e peço os sentimentos de amor e compaixão, porque é diferente do envolvimento emocional.

Haverá momentos em que o cliente virá para uma leitura apenas para liberar o emocional e pode até acabar gritando com você. Esse tipo de experiência pode rapidamente deixá-lo desequilibrado, mas nove em cada dez vezes não terá nada a ver com você. Nestes casos, tome cuidado para evitar ter um colapso emocional na frente do cliente, pois isso só irá impedi-lo de testemunhar a cura. Além disso, caso queira tornar um cliente seu amigo próximo, pergunte ao Criador se é seguro.

Os curadores têm o desafio de permanecerem em um estado saudável e positivo, geralmente nas condições mais adversas. Para cuidar dos outros, primeiro você precisa cuidar de si mesmo.

Sem nem mesmo saber, você pode estar tratando um cliente da mesma maneira que o subconsciente negativo dele está projetando. Em pensamento e na prática, em palavras faladas e em ação, devemos tratar os outros com bondade intuitiva. Para fazer isso, é importante intuitivamente conhecer a diferença entre os seus sentimentos, programas e crenças e entre os dos outros.

19. MUDANDO A ENERGIA

Uma coisa importante a lembrar é que, se você não gosta do seu cliente, talvez ele não melhore. Quando isso acontece, a resposta é gastar tempo trabalhando em suas crenças, pois elas se relacionam com certos clientes.

Uma vez tive uma cliente que foi indelicada com os funcionários do meu escritório (que também eram minhas filhas). Então, quando falei com essa cliente, eu estava ressentida de como ela havia tratado minha filha. Frustrada com sua falta de progresso, perguntei: "Deus, por que ela não melhora?".

Deus disse: "Você tem de gostar dela, Vianna". Então, trabalhei nas minhas crenças e, na próxima vez que ela ligou para o escritório, ela foi simpática com todos. Sem dúvida, em algum nível, ela podia sentir como eu me sentia e, quando mudei minhas crenças sobre a situação, as crenças dela mudaram também.

20. CRENÇAS DUAIS

Durante o processo de digging, as crenças duais geralmente são liberadas quando você encontra a crença-chave. Por exemplo, eu tinha as crenças de "eu sou rica" e "eu sou pobre". O bom senso diria para verificar uma crença oposta, porque, afinal, minha conta corrente também sobe e desce; então, fui até o Criador para perguntar por quê.

Vianna: "Por que eu só tenho dinheiro suficiente para ir de um mês para o outro?".

Criador: *"Com o que você está preocupada? Você sempre tem o suficiente mês a mês".*

Vianna: "Por que isso?"

Criador: *"O dinheiro inspira você a fazer as curas. Contanto que você tenha de ganhar dinheiro, você vai trabalhar todos os dias. Você tem de pagar suas contas, e isso a inspira a ser uma curadora".*

(O Criador não me disse que era em razão de ter uma crença dual, porque é a crença-chave ou raiz que é importante.)

Vianna: "Ah não, Criador! Eu ainda iria todos os dias se tivesse muito dinheiro!".

Criador: *"Realmente? Na última quarta-feira você não se sentiu bem, mas foi trabalhar e curou uma garotinha. Mas, se você tivesse muito dinheiro ou dinheiro de sobra, você teria ficado na cama, então talvez você devesse aprender a ser uma curadora sem que o dinheiro seja sua inspiração".*

Depois dessa sessão de trabalho de crenças, concentrei-me em curar por amor e para que minha situação financeira mudasse. Mas às vezes o trabalho de crenças não se resume a ter uma crença dual, mas em descobrir "Por que eu criei isso na minha vida?". Isso não significa que as pessoas não tenham crenças duais no processo de digging, mas que você deve se concentrar na crença-chave ou raiz.

Uma coisa que alguns *ThetaHealers* dizem depois de praticar o trabalho de crenças por alguns anos é que eles fizeram todo o seu trabalho de crenças e não têm mais nada para trabalhar. Para essas pessoas, eu digo: "Tudo bem, mas sem seguir com o trabalho de crenças você não vai desenvolver", porque nosso ego é o nosso pior inimigo.

21. RESSENTIMENTO E RANCOR

Cada pessoa em sua vida o serve de alguma forma. Se uma pessoa específica lhe dá trabalho e apresenta resistência em sua vida, talvez essa seja a forma de ela estar motivada. Criar resistência em sua vida seria uma maneira de estar motivado? Pergunte-lhes sobre as pessoas em sua vida e como elas o afetam.

Você também pode liberar ressentimentos individuais usando o trabalho de crenças, mas, ao mesmo tempo, você também deve liberar quaisquer rancores correlacionados. Você pode fazer isso perguntando ao cliente se ele tem algum ressentimento contra alguém ou algo que lhe esteja sendo útil ou necessário.

22. APROXIMANDO-SE DA CRENÇA-CHAVE

Você saberá quando estiver perto de alcançar a crença-chave quando você (ou o cliente) começar a ficar um pouco desconfortável e cansado. Seu cliente pode dizer que não quer continuar o trabalho de crenças ou simplesmente desistir. Isso ocorre porque é a última chance do subconsciente para se agarrar a um programa que ele considera útil. Normalmente, o cérebro se apega a uma crença quando essa crença está em nosso nível histórico (veja a página 26).

Um bom exemplo é fazer trabalho de crenças com alguém com câncer de mama. A princípio, o cliente está em uma felicidade total, mas, à medida que as sessões de trabalho de crenças continuam, elas podem começar a se tornar mais difíceis e conflituosas. Quando o cliente começa a agir assim, há uma boa chance de você estar próximo da crença-chave. A raiva em uma sessão de trabalho de crenças pode também ser um indicador de que o cliente está melhorando. Quando as pessoas ficam doentes, muitas vezes chegam ao ponto em que não se importam mais em melhorar e a apatia se instala. A raiva, nesse caso, pode estimular suas glândulas supra-renais, aumentar sua energia e, assim, fazê-las querer viver.

Outra indicação de que você está se aproximando da crença-chave é que o cliente pode começar a lhe dar nos nervos. No entanto, a crença-chave deve ser encontrada antes do final da sessão ou o cliente pode experimentar uma crise de cura. Continue com a sessão até que o cliente esteja confortável e tenha um comportamento pacífico.

> **– LEMBRETE IMPORTANTE –**
>
> Não use um caderno para fazer anotações sobre seus clientes. Se você está anotando crenças, você não está presente e trabalhando com o coração. Isso ajuda os clientes a se sentirem seguros e, se você ficar confuso ou perdido durante a sessão, então peça orientação ao Criador.

23. DOWNLOADS QUE INDICAM CRENÇAS NEGATIVAS

Em alguns casos, quando você faz o *download* de sentimentos em um cliente, sistemas de crenças serão liberados e até mesmo indicarão que você chegou a uma crença-chave. Por exemplo, se você fizer o *download* de um sentimento, como "eu entendo qual é a sensação de ser amável e gentil", ele pode levantar a questão de que "é perigoso ser gentil demais" e "tirarão vantagem de mim e me machucarão". Se isso acontecer, o cliente pode rejeitar o *download*.

Na maioria dos casos, quando você faz o *download* de um sentimento, o cliente se sentirá eufórico. Mas, se houver uma questão que entre em conflito com o *download* para o cliente, esses sentimentos farão com que o cliente não o aceite. Por esse motivo, quando você testemunha o *download* de sentimentos, é melhor perguntar ao cliente como eles se sentem quando aceitam os novos sentimentos.

No ThetaHealing, não apenas isolamos as crenças que precisam ser substituídas, mas também adicionamos novas crenças. Quando isolamos a crença e entendemos como ela está nos servindo no presente, então podemos olhar para o futuro e ver se tal crença é algo de que nós precisamos, se é algo que podemos modificar, e podemos saber como modificá-lo.

O trabalho de crenças é sempre passado, presente e futuro; está sempre trabalhando em por que somos o que somos e como nos entender.

24. CÉLULAS CONVERSAM ENTRE SI

Sabemos que as células do corpo estão interconectadas e se comunicam umas com as outras por meio de uma linguagem inexplicável que não é claramente definida. Por esse motivo, também é possível que as células se comuniquem com as células no corpo de outra pessoa por meio do pensamento projetado. Essa transmissão funciona da mesma forma que todos nós estamos interconectados pela energia de Tudo o Que É. Desta forma, a essência do pensamento puro pode ser projetada através do toque físico, para transmitir informações celulares – como a forma de visualizar, enviar consciência ou criar curas –, desde que o corpo não perceba a mensagem como uma ameaça (o que é muitas vezes o caso, se o cliente sofreu abuso sexual ou físico, porque o toque deve ser consensual).

Ao se comunicar em um nível celular, é importante que você esteja em um estado Theta. Quando você toca na mão do cliente em um estado Theta, acredito que a essência do conhecimento de sua célula é imediatamente transferida como uma mensagem para o conhecimento celular do outro. Esta mensagem automaticamente coloca o cliente em uma onda cerebral Theta com você e, portanto, em um estado propício para aceitar curas.

Embora seja interessante notar que geralmente leva pelo menos um **ciclo de sono** para todas as informações das células serem entendidas pelo cérebro. E também, que a cura celular não substitui o trabalho de crenças, o trabalho de sentimentos ou os processos de digging, porque o cliente deve estar consciente dos sentimentos e programas que aceita.

25. A ARTE DO AUTOTRABALHO DE CRENÇAS

Realizar trabalho de crenças e digging por si mesmo requer um pouco de disciplina, mas ambos os métodos a seguir são eficazes na descoberta de crenças.

Trabalho de Crenças — Método 1

Usando este processo você pode facilmente procurar a crença-chave para si mesmo, sendo tanto praticante como cliente. Imagine-se sentado em frente a si mesmo, falando sozinho enquanto está conectado e conversando com o Criador, e fazendo testes de energia para programas. Ao trabalhar com você mesmo, assim como em uma sessão com um praticante, você deve dizer cada programa em voz alta. Você pode fazer isso subindo diretamente para o Criador e perguntando:

- Quando isso começou? Mostre-me quando isso começou.
- Quantos anos eu tinha quando isso aconteceu?

- Isso vai mais fundo?
- Como isso está me ajudando e o que eu aprendi com isso?
- Por que eu criei isso?
- Como isso está me ajudando?
- Que virtude estou aprendendo com isso?
- Criador, com o que eu substituo isso?

Faça estas perguntas e receba as respostas de que precisa.

Em qualquer trabalho de crenças, você sempre se conecta com o Criador, porque essa é uma das coisas mais valiosas que você pode desenvolver como um curador. Você sempre pergunta ao Criador aonde a crença está levando você. Por favor, entenda que você pode subir e perguntar a Deus, se você tem uma crença; e você deve ouvir uma resposta "Sim" ou "Não". Por exemplo, se você perguntar a Deus por que você está doente o tempo todo, pode ser que receba a seguinte resposta: "Porque quando você está doente não se preocupa com todas as coisas do seu mundo. Você não precisa se preocupar com os seus negócios, ou se preocupar tanto com as suas crianças. Você pode focar em você mesmo e você está utilizando isso para evitar o estresse".

Trabalho de Crenças – Método 2

Neste processo, fique de frente para o norte. Quando você diz "sim", seu corpo deve se inclinar para a frente. Quando diz "não», seu corpo deve se inclinar para trás, indicando uma resposta negativa. Se o seu corpo não se inclina, é provável que você esteja desidratado, portanto, hidrate-se e, em seguida, tente o processo novamente. (Veja também o capítulo 2 para os métodos e processos corretos de teste energético.)

Descobri que esse método é mais eficaz do que testar em si segurando o polegar e o dedo juntos, para testar "Sim" ou "Não". Esse também é um método útil para testar um programa que você não deseja enfrentar.

Permita que o Criador o guie

Crie uma situação tranquila para trabalhar sozinho, marcando um horário consigo mesmo. Temos a tendência de evitar trabalhar em nós mesmos, porque o subconsciente tenta tomar conta e nos dizer "Vá fazer a janta" ou "Eu preciso ir ao escritório". É dessa maneira que o subconsciente evita o trabalho de crenças, pois ele acredita que assim está mantendo-o seguro. E se você tende a "sentir" mais do que a "ver" as coisas, então sentir a resposta é tão bom quanto vê-la. Eu sempre digo que posso treinar pessoas para ver, mas sentir é um dom.

Uma pergunta que muitas vezes me fazem: como eu sei a diferença entre a mente e o Criador?

Quando você sobe, conecta-se ao Criador e faz uma pergunta, recebe uma resposta imediata. Se a resposta vier da sua mente, você receberá uma informação do tipo: "Está ficando tarde, eu deveria ir preparar o jantar". Esse não é o Criador falando com você; é você tentando evitar o trabalho de crenças. O Criador é amor e inteligência em perfeição.

Por exemplo, se você acredita que o amor é dor, você evitará o amor. Se você tentar trabalhar nisso, pode haver uma luta interna com o seu processo de trabalho de crenças. Então você terá de pedir ao Criador para lhe mostrar onde a crença começou. Então você pode baixar o que é o amor verdadeiro – que é seguro – ou mudar a crença de que você tem de deixar as pessoas que você ama o ferirem.

**Estar consciente de suas
crenças é muito importante.**

Realizar o trabalho de crenças comigo mesmo (o que eu chamo de autotrabalho de crenças) requer autodisciplina, até para mim, mas eu gosto de subir até o Criador em busca de respostas. Trabalhar diretamente com o Criador também pode ser uma vantagem em relação a trabalhar com um praticante, que pode confundir suas próprias questões com o que eles acreditam ser suas crenças. Em um caso como esse, é provável que você se sinta invadido e não esteja disposto a cooperar – e é também por isso que é tão importante que o praticante esteja conectado ao Criador durante a sessão. Por outro lado, trabalhar com um praticante experiente e gentil, com quem você também se sente seguro, pode impedir que você tente esconder de si mesmo quaisquer questões mais profundas.

Use os seguintes *downloads* para realizar autocura:

"Eu sei que a história do planeta, o nível histórico, o nível genético, todos importam, e sei como trabalhar neles".

"Eu entendo qual é a sensação de saber por que eu faço o que faço".

"Eu sei como me entender e como trabalhar em mim mesmo".

"Eu sei como me conectar ao Criador e perguntar por que eu tenho uma crença, quando ela começou, como modificá-la, o que preciso fazer para modificá-la, de quais *downloads* eu preciso, e o que preciso para modificar as crenças da melhor e mais elevada maneira".

26. SOBRECORREÇÃO

Ao buscar suas crenças raízes ou chave, você pode experimentar o que é chamado de "sobrecorreção". Quando você começa a liberar programas profundos e a instalar novos sentimentos, isso pode trazer à tona questões familiares. Esse processo de liberação e estímulo provavelmente lhe dará muito empoderamento e você pode sentir vontade de pegar o telefone e começar a gritar com essas pessoas. Por favor, tome tempo para processar todos os sentimentos que surgiram durante a sessão de trabalho de crenças antes de tomar qualquer atitude. Muitos desses programas foram criados há muito tempo e a pessoa que os criou dentro de você provavelmente mudou desde então. Eles não são mais a mesma pessoa e não entenderão por que você está gritando com eles, e você não receberá nenhuma absolvição por fazê-lo.

**Faça o melhor que puder para abster-se
de corrigir demais qualquer situação ou problema que
você tenha com outra pessoa até que você esteja equilibrado.**

Capítulo 5

As Cinco Etapas Básicas do Digging no Trabalho de Crenças

Como um profissional que trabalha com clientes, há cinco etapas essenciais do digging para buscar crenças, as quais abordaremos neste capítulo, antes de passar para os processos mais avançados, que serão abordados no próximo capítulo:

1. **Estabelecer uma relação:** um vínculo de confiança entre o cliente e o praticante encorajará a comunicação aberta.

2. **Identifique a questão:** essa é a questão com a qual o cliente diz que deseja trabalhar.

3. **Use palavras-chave e perguntas básicas:** comece o processo de digging para encontrar a crença-chave ou raiz do cliente, para então liberar todas as outras crenças empilhadas acima dela.

4. **Modifique as crenças:** conecte-se ao Criador e testemunhe as crenças sendo alteradas em todos os quatro níveis de crenças: central, genético, histórico e de alma.

5. **Confirme a alteração:** confirme se as crenças foram alteradas, realizando o teste energético de cada crença que foi liberada e substituída.

Vamos analisar cada uma das cinco etapas em mais detalhes:

ETAPA 1: ESTABELECER UMA RELAÇÃO

Comece cumprimentando o cliente e fazendo com que ele se sinta confortável. Estabelecer esse vínculo de confiança encorajará a comunicação aberta entre vocês.

Escute, reconheça e questione

Escute o que o cliente tem a dizer e reconheça, e depois continue a fazer perguntas sem ser agressivo.

Esteja aberto para escutar o que o cliente está dizendo e esteja ciente da energia que está por trás de cada afirmação, porque cada afirmação feita pelo cliente é indicadora da crença raiz ou chave. Não coloque palavras na boca do cliente, mas faça com que ele sinta que o que está dizendo possui validade e valor – porque realmente possui. Além disso, cada pessoa é diferente de todos os demais no mundo, portanto, embora possa haver semelhanças entre as crenças, cada pessoa deve ser tratada como um indivíduo único.

Faça contato visual e leia a linguagem corporal dos clientes

É importante fazer contato visual com o cliente e observar sua **linguagem corporal**, pois suas respostas físicas indicarão quando um ponto sensível for alcançado no diálogo do trabalho de crenças.

ETAPA 2: IDENTIFIQUE O PROBLEMA

No início da sessão de trabalho de crenças, pergunte ao cliente o que ele quer. Há muitas opções de crenças para trabalhar, mas lembre-se de que a sessão é do cliente: suas necessidades e com o que eles desejam trabalhar.

Pergunte ao cliente: "Com o que você gostaria de trabalhar hoje?"

Se o cliente responder, por exemplo, "Gostaria de trabalhar em meus problemas com a minha família", essa questão é a "crença superficial" do cliente e o ponto de partida que pode levar à crença-chave – a causa do problema. Essa crença provavelmente representará uma situação na vida do cliente que ele gostaria de alterar.

Teste energético

Realize um teste energético para determinar o que o cliente acredita ser verdadeiro no que se refere à questão (consulte o capítulo 2 para os métodos e processos corretos de teste de energia).

Seja observador e certifique-se de que o cliente sempre mantenha os dedos firmemente unidos e os libere de uma maneira subconsciente em resposta às suas declarações faladas. Tenha cuidado para que o cliente não tente abrir ou fechar os dedos em uma tentativa consciente de manipular o procedimento.

Defina metas com a crença superficial

Defina um objetivo comum para o cliente, ao dizer, por exemplo, "Vamos investigar a questão e chegar à origem dela". Lembre-se de não fazer anotações em um bloco de notas, pois isso pode fazer com que o cliente sinta que há algo de errado com ele, ou sinta como se estivesse sendo estudado ou analisado.

ETAPA 3: USE PALAVRAS-CHAVE E PERGUNTAS BÁSICAS

Para usar o processo de digging para encontrar as crenças-chave do cliente, sua abordagem deve ser de exploração intuitiva. Faça perguntas do cliente usando as seguintes palavras-chave e perguntas básicas para identificar suas questões e crenças negativas:

- Quando?
- O quê?
- Quem?
- Onde?
- Por quê?
- Como?

Use essas palavras-chave para cavar pela crença-chave ou raiz, como mostrado no quadro a seguir:

Palavras-chave	Exemplo
Quando?	*Quando* isso aconteceu pela primeira vez?
O quê?	*O que* você aprendeu com isso?
Quem?	*Quem* lhe disse isso?
Onde?	*Onde* isso aconteceu pela primeira vez? *Onde* você estava quando isso aconteceu?
Por quê?	*Por que* você acha que está doente?
Como?	*Como* isso o faz sentir? *Como* isso está lhe servindo?

O uso dessas palavras-chave relacionadas às perguntas cria uma abertura para os programas de crença mais profundos do cliente. A partir daqui, existem dez diferentes abordagens de digging, ou atalhos, para identificar a crença-chave – dependendo do tipo de questão apresentado. Vamos desenvolver as dez abordagens de digging em mais detalhes no próximo capítulo.

ETAPA 4: MODIFIQUE AS CRENÇAS

Alguns dos indicadores de que você atingiu a crença-chave são que o cliente tentará fugir, ocultará ou entrará em círculos em um cenário de perguntas e respostas. Seja paciente e persistente para encontrar a crença mais profunda. Além disso, o cliente pode tentar distraí-lo mudando de assunto e/ou ficando nervoso e emotivo.

O cliente também pode ficar emotivo, fazer movimentos nervosos, contorcer-se na cadeira, coçar a cabeça, cruzar os braços, começar a chorar e a respiração pode ficar descontrolada. O cliente também pode olhar para os pés e não fazer contato visual. Essa linguagem corporal indica uma tentativa, de parte do subconsciente, de manter a crença fundamental.

> Se o cliente começar a sentir desconforto
> ao realizar o trabalho de crenças,
> pergunte se ele gostaria de receber o
> *download* de qual é a sensação de estar seguro.

Modificando crenças por meio do Criador

Costumo dizer que tenho o emprego mais fácil do mundo. Tudo o que preciso fazer é ouvir ao Criador e fazer o que Ele me diz para fazer. Da mesma forma, o seu processo de digging (seja com você mesmo, com outra pessoa ou com um cliente) deve ser praticado do ponto de vista de cocriação com o Criador. Tudo o que você precisa fazer é ouvir o Criador.

Durante todo o processo, certifique-se de interagir com o cliente a partir de uma perspectiva do Sétimo Plano, por meio do Criador de Tudo o Que É. Isso significa que a interação do digging vem do Sétimo Plano de Existência, não do Terceiro Plano. A cocriação permite que você saia do seu próprio paradigma e entre naquele do cliente. Não permita que seu próprio julgamento influencie sua investigação na sessão de trabalho de crenças. Lembre-se: o processo de digging é sobre o cliente.

> Uma sessão de trabalho de crenças é uma
> interação entre o cliente, o praticante e o Criador.
> O Criador está sempre com você.

Pergunte ao Criador

Ao trabalhar com um cliente, evite projetar suas crenças ou sentimentos no processo de investigação. A melhor maneira de fazer isso é ficar firmemente conectado à perspectiva do Criador. Conforme descrito anteriormente, o cliente pode fugir, ocultar ou levá-lo em círculos no cenário de perguntas e respostas. Seja paciente e persistente para encontrar a crença mais profunda.

Sempre peça ajuda ao Criador quando precisar de orientação extra. Peça ao Criador para orientá-lo em sua sessão de digging. Por exemplo, peça que o Criador lhe diga qual é a crença raiz ou chave, quais crenças você deve testar energeticamente, e de quais sentimentos você deve fazer *download*.

Por exemplo, você pode perguntar: "Criador de Tudo o Que É, é solicitado que você me diga de qual sentimento devo fazer o *download* nesta pessoa. Gratidão! Está feito, está feito, está feito".

Você também pode chamar pelo Criador durante uma sessão de trabalho de crenças:

- Se você se sentir inseguro, pergunte ao Criador quais perguntas você deve fazer ao cliente.
- Quando um cliente apresenta várias questões, pergunte ao Criador em qual questão específica você deve focar primeiro.
- Perguntar se uma crença específica é uma crença-chave.
- Pedir ao Criador pela crença-chave.
- Pedir por uma nova crença positiva para substituir uma crença negativa.
- Perguntar de quais sentimentos positivos devem ser feitos *downloads* na pessoa, para ajudar em uma situação específica.

Você também pode perguntar: "Criador de Tudo o Que É, de quais sentimentos essa pessoa precisa? Gratidão! Está feito, está feito, está feito".

Você também pode *modificar a* crença e realizar *downloads* de sentimentos, por meio *do Criador*, da seguinte maneira:

- Conduzir uma cura em quaisquer crenças negativas encontradas durante a sessão, fazendo o *download* de sentimentos conforme necessário.
- Fazendo com que o cliente esteja consciente da crença-chave.
- Subindo e conectando-se ao Criador, e testemunhando as crenças sendo modificadas em todos os níveis – central, genético, histórico e **de alma**.

ETAPA 5: CONFIRME A MUDANÇA

Confirme se a crença foi liberada e substituída, testando energeticamente a crença que foi modificada (consulte o capítulo 2 para os métodos e processos corretos de realização do teste energético); isso dará validação tanto para você como para o cliente.

Como descrito no capítulo anterior, você saberá que está próximo à crença-chave se o cliente se tornar verbalmente defensivo, contorcer-se ou começar a chorar. Esse tipo de resistência é uma tentativa, de parte do subconsciente, de permanecer com a crença-chave. Se o cliente começar a sentir desconforto durante o trabalho de crenças, peça permissão para realizar o *download* de qual é a *sensação* de se sentir seguro.

Capítulo 6

As Dez Abordagens do Digging (Ou Atalhos)

Existem dez abordagens ou atalhos de digging, os quais você pode usar para identificar a crença-chave – dependendo do tipo de questão a ser tratada – e todas essas abordagens podem ser usadas alternadamente em uma única sessão de trabalho de crenças.

Abordagem de Digging	Descrição
1. Medo	Identifique o medo mais profundo por baixo de todos os outros medos.
2. Ressentimento	Entenda a situação perguntando: "Quando o ressentimento foi criado?". E também: "Qual é a razão por trás do ressentimento?". Essa abordagem pode ser usada para ressentimentos e para quaisquer outras emoções negativas, exceto o medo.
3. Doença 1	Descubra por que a doença foi criada. Pergunte: "Como a doença está lhe servindo e quais coisas boas aconteceram desde que a doença começou?".
4. Doença 2	Imagine a doença extinta no futuro. Pergunte: "O que aconteceria se você estivesse completamente curado?".
5. Manifestação	O cliente visualiza o que gostaria de manifestar. Faça perguntas para identificar as questões, como: "O que aconteceria se você conseguisse o que deseja?".

6. Genética	Identifique a questão perguntando se uma determinada crença é a crença da mãe do cliente, de seu pai ou de um ancestral.
7. Nível histórico	Trabalhe nas crenças que foram levadas adiante de vidas passadas e na consciência de grupo.
8. O impossível	Ensine ao cérebro que o que parece ser impossível pode, na verdade, ser possível.
9. Digging no presente – aprendendo com as dificuldades.	Crie consciência de que toda dificuldade contém um propósito mais profundo. Pergunte: "Que benefício está recebendo das dificuldades que você está vivenciando?".
10. Aprendendo virtudes	O propósito da alma nesta vida é aprender virtudes e desenvolver habilidades. Pergunte: "Quais virtudes você está desenvolvendo com as suas experiências?".

Entre as dez abordagens seguintes, o medo e o ressentimento são as abordagens básicas e a base construtiva de todas as outras abordagens de digging. Mas lembre-se de que as abordagens descritas neste capítulo são apenas sugestões para guiar seu trabalho com os clientes, porque não há duas pessoas iguais e cada sessão de digging será diferente. O processo de digging é uma exploração intuitiva e encontrar a crença-chave ou raiz é uma forma de arte; as dez abordagens são, portanto, apenas sugestões para guiar suas sessões de trabalho crenças.

O processo de digging é a busca pela crença-chave que criou o programa, para liberar todas as crenças sobrepostas a ela. Para se tornar habilidoso no trabalho de digging, você precisa compreender como fazer as perguntas certas para identificar as crenças-chave subjacentes; as dez abordagens a seguir buscam orientá-lo a fazer isso:

ABORDAGEM DE DIGGING 1: MEDO

De um modo geral, existem duas diferentes energias emocionais que nos motivam: medo e amor. O amor deve ser a primeira motivação, mas nem sempre é assim. O amor incondicional é a mais alta vibração do Universo e o medo é uma das mais baixas. No trabalho de crenças, não tentamos remover a resposta emocional de medo, pois essa é uma reação humana natural; é a nossa resposta inerente de sobrevivência em momentos de emergência. Por essa razão, é importante ser capaz de perceber a diferença entre os "programas de medo" disfuncionais e a eventual resposta emergencial normal de medo.

Viver com medo constante é um programa negativo, assim como as fobias, e é aí que o medo também causa um problema. O medo descontrolado pode bloquear praticamente qualquer coisa, incluindo o amor, enquanto os medos compulsivos podem evoluir para fobias. Uma das maneiras de mudar uma fobia é realizar o trabalho de crenças e encontrar a crença-chave que está mantendo aquela fobia.

O medo irracional compulsivo não realiza nada. As energias negativas do medo, da dúvida e da descrença são alguns dos bloqueios mais comuns que se apresentam no trabalho de crenças.

Com qualquer processo intuitivo, o medo nunca deve entrar no quociente da sua parte da cura. Então, antes de começar a trabalhar com clientes, é importante limpar seus próprios medos ou preconceitos.

Em vez de testemunhar o Criador fazer o trabalho, alguns curadores ficam com medo de que o processo não esteja funcionando e decoram (quero dizer, embelezam) as crenças do cliente no processo de digging. A decoração pode fazer com que o cliente passe por emoções desnecessárias e o que poderia ter sido concluído em 30 segundos pode levar muito mais tempo para que o cliente processe.

Comece o trabalho de digging

Siga a trilha das crenças de medo até a fonte do maior medo, fazendo perguntas-chave para descobrir por que esse sentimento surgiu, como esse sentimento aconteceu e quando começou. Essas perguntas vão abrir a mente subconsciente do cliente para suas crenças mais profundas.

Para identificar o medo mais profundo, subjacente a todas as outras ansiedades, pergunte:

- Do que você tem medo?
- Qual é o seu maior medo?
- Qual é a pior coisa que aconteceria (se você estivesse em uma determinada situação)?
- Como se sentiu quando isso aconteceu?
- O que aconteceria em seguida nessa situação?
- Quando foi a primeira vez que você sentiu esse medo? Quando isso começou?
- Qual é a pior coisa que poderia acontecer se você enfrentasse o seu maior medo?
- Então, quando estiver realizando o digging para medo, a primeira pergunta deve ser: "Do que você tem medo?".

O cliente responde, por exemplo: "tenho medo de água".

Então você pergunta: "O que aconteceria com você por causa do seu medo de água?".

O cliente diz: "Vou me afogar".

Se o cliente tem medo de algo específico, raramente isso é o que a pessoa realmente teme e geralmente há uma causa que está detrás do medo.

Se alguém tem medo de água, a crença será: "Eu tenho medo de água", e se você remove esse programa e o substitui por "Eu não tenho medo da água", nada mudará porque a água não é necessariamente o que o cliente teme; o medo está vindo de outra coisa.

Nesse ponto, você sabe que a água não é o medo do cliente, mas que é assim que ele está se apresentando. O próximo passo é seguir o medo para a crença-chave, para que o cliente perceba do que realmente tem medo.

Praticante: "O que acontece se você se afogar?".
Cliente: *"Bem, se eu me afogar, vou morrer".*
Praticante: "Então, o que vai acontecer?".

Cliente: *"Se eu morrer, deixarei meus filhos e, se eu deixar meus filhos, serei um fracasso e, se eu fracassar, fracassarei com Deus e, se eu fracassar com Deus, será errado que eu vá para a luz. Eu ficarei preso na escuridão".*

Com essas declarações, o cliente fez seu próprio trabalho de digging. O praticante usou as palavras-chave de questionamento "quem, o quê, quando, onde, como" e apenas ouviu o que o cliente disse.

Conecte-se ao Criador e faça perguntas relativas a quem, o quê, quando, onde e como.

Praticante: "O que acontecerá se você estiver preso na escuridão?".
Cliente: *"Eu vou ficar preso na escuridão e vou estar no nada".*

O praticante agora percebe que a pessoa não tem medo de água, mas do "nada". Como neste breve exemplo, quando um cliente dá tantos detalhes, isso indica que ele está lembrando de um acontecimento que é real para ele. Não importa de onde a memória vem, acompanhe-o para que ele não seja deixado no meio do seu maior medo. No cenário citado, o medo real do cliente é o "nada" e que ele desapontou a Deus e deixou seus filhos. Qual medo é o medo real depende de quantas vezes o cliente o repete.

Para mudar essas crenças, peça ao Criador para retirar o medo do nada e substituí-lo pela crença que o Criador diz ao cliente – que muitas vezes é "você sempre pode cuidar de seus filhos" e "você é sempre amado pelo Criador na energia da criação". Uma vez que você retira o medo do nada, todos os outros medos se desfazem. Quando o medo desaparece, é improvável que o cliente ainda tenha uma fobia de água. Para testar isso, peça ao seu cliente para imaginar que ele está na água e pergunte como ele se sente.

Um indicador de uma crença-chave é se o cliente repete algo muitas vezes, como "Eu sou um fracasso para Deus" ou "Eu sou um fracasso para meus filhos"; então, escute atentamente o que o cliente diz.

A crença-chave "eu tenho medo do nada" é um dos maiores medos da humanidade. O "medo do nada" é a percepção de não haver nada após a morte, de que não há Deus e de que todos nos tornaremos nada.

Se você chegar a um impasse com o processo de digging e não souber qual direção seguir, observe pacientemente o cliente falando sobre seus sentimentos em relação às crenças superficiais. Pode levar um pouco de tempo para que o cliente esclareça de onde o medo está vindo, e ele poderá voltar para outro tempo e lugar para encontrá-lo.

Continue o trabalho de digging

Para qualquer crença raiz ou chave negativa, pode haver uma razão positiva que faz com que o subconsciente a mantenha. O trabalho de crenças deve ter um resultado positivo, e por isso é muito importante sempre descobrir o que o cliente está aprendendo com essa experiência de crença.

Quando você encontrar a crença-chave do cliente, pergunte:

Praticante: "O que você ganha por ter essa crença?".
Cliente: *"Tudo o que faço falha".*
Praticante: "O que você aprendeu, alcançou ou ganhou por ter essa crença?".

O exemplo anterior mostra como você pode ajudar um cliente a entender que, em um nível de alma, toda experiência de vida tem um propósito – até mesmo uma crença de medo.

Lembre-se de que os programas de medo podem ser transmitidos por meio dos genes ou do nível histórico. Retire, cancele, resolva e substitua essas energias quando necessário.

ABORDAGEM DE DIGGING 2: RESSENTIMENTO

Há sempre uma razão oculta para o ressentimento. Enquanto nos ressentirmos de alguém, mantê-lo-emos longe de nós – mesmo que seja uma separação psicológica. Quando ressentimos, aprendemos algo com a situação ou com a pessoa, e manteremos o ressentimento enquanto estivermos aprendendo com isso.

Também usamos o ressentimento para nos manter neste plano da Terra. O ressentimento é uma forma de pensamento muito pesada, da mesma forma que o amor é uma forma de pensamento muito leve. Quando alcançamos esses pensamentos leves, tornamo-nos mais iluminados. Muitas pessoas se graduaram deste plano da Terra sem precisar morrer e deixá-lo. Agora nos foi permitido lembrar que somos iluminados e que podemos nos tornar iluminados neste plano, mesmo que o nosso subconsciente não esteja pronto para essa ideia. Então, para nos mantermos ancorados neste plano terrestre, surge o ressentimento. O Criador diz: "Se pudermos limpar o ressentimento de nossa mente, podemos mover as coisas sem tocá-las. O ressentimento bloqueia nossas habilidades psíquicas."

O sentimento de ressentimento certamente o ancorará nesta existência, mas também o protegerá da coisa que ressente, então o cérebro não vai liberar esse sentimento tão facilmente. Por exemplo, digamos que um cliente se ressente do pai, mas, se você retirar esse programa e substituí-lo por perdão, ele poderá durar dois ou três dias.

Uma das minhas alunas se deitou na banheira e retirou todos os seus ressentimentos e no dia seguinte ela tinha emagrecido muito.

Outra aluna fez a mesma coisa e obteve resultados similares – mas, quando tentei fazer isso, eu não emagreci nada. Isto acontece porque, a menos que alcancemos a crença-chave que está mantendo o ressentimento, o desafio voltará (e também o peso).

> **Uma das coisas mais importantes do trabalho de crenças é entender que a crença-chave é geralmente positiva em sua natureza.**

Comece o trabalho de digging

Por exemplo, se alguém tiver o seguinte programa: "eu me ressinto de meu pai porque ele me bateu".

Se você retirar e substituir este programa, o cliente pode se sentir melhor por dois ou três dias, mas a única maneira de criar uma mudança de longo prazo é descobrir o que ele aprendeu com tal programa, como ele criou um aspecto positivo e por que ele está servindo ao cliente.

Pergunte ao cliente: "O que você aprendeu de positivo por seu pai ter batido em você?".

O cliente provavelmente discutirá com você sobre seu questionamento, portanto, persista em perguntar:

- Se houvesse um resultado positivo dessa experiência, qual seria?
- O que você aprendeu por ter apanhado do seu pai?

O cliente poderá dizer: "Eu aprendi que nunca vou bater nos meus filhos".

Nesse ponto da sessão, você está lidando com ambas crenças positivas e negativas. Ensine o cliente a manter a confiança que foi desenvolvida com a situação negativa, enquanto, ao mesmo tempo, realize um *download* de qual é a sensação de receber amor sem ser machucado. Depois você pode fazer o teste energético no cliente para verificar se ele ainda possui o ressentimento.

Sessão de digging: ressentimento

A seguinte abordagem pode ser usada para ressentimento e para todas as outras emoções negativas, a não ser o medo.

Vianna: "De quem você se ressente?".

Cliente: *"Eu me ressinto da minha mãe".*

Vianna: "Por que você se ressente da sua mãe?".

Cliente: *"Eu me ressinto da minha mãe porque ela me batia o tempo todo. Ela me trancava dentro de casa e não me deixava brincar lá fora. Eu cresci sem poder brincar lá fora. Quando eu era criança, eu queria dançar, tocar música e pintar, mas minha mãe não gastava nada com essas coisas".*

Vianna: "Ela tinha dinheiro para fazer essas coisas?".

Cliente: *"Sim".*

Vianna: "Então, ela nunca deixou você ser você".

Cliente: *"Sim. Ela mora perto de mim agora, mas eu tento não me comunicar com ela. Ela quer curar sua relação comigo, mas eu mantenho distância".*

Vianna: "Feche os olhos. Diga-me o que você aprendeu com ela batendo em você por todos esses anos que se passaram – algo que seja bom que você aprendeu".

Cliente: *"Aprendi a fazer tudo do meu jeito".*

Vianna: "O que você aprendeu estando presa dentro de casa?".

Cliente: *"Aprendi a ser capaz de ficar sozinha e fazer as coisas sozinha".*

Vianna: "O que você aprendeu por não conseguir seguir sua natureza artística?".

Cliente: *"A única coisa que aprendi com isso foi a não fazê-lo com a minha filha, e eu tentei dar a ela a oportunidade de ser artística, mas ela não queria".*

Vianna: "Eu tenho permissão para lhe ensinar que você pode seguir seu caminho sem que alguém a machuque? Sem alguém forçando você a seguir um caminho diferente".

Cliente: *"Sim".*

Vianna: "Eu tenho permissão para fazer um *download* para que você possa se sentir confortável estando sozinha e também com outras pessoas quando quiser?".

Cliente: *"Sim".*

Vianna: "E que você pode encontrar sua independência sem ficar presa?".

Cliente: *"Sim".*

Vianna: "Você gostaria de saber como seguir seus sonhos em vez de ter alguém bloqueando-a o tempo todo?".

Cliente: *"Sim".*

Vianna: "E que você pode oferecer aos seus filhos música e arte sem tentar forçar isso a eles?".

Cliente: *"Sim".*

Vianna: "Dê-me sua mão e faça um círculo com seu polegar e indicador. Agora vou fazer o teste energético para 'Sim' e 'Não'. Diga 'Sim' e diga 'Não'. Diga: 'Eu me ressinto da minha mãe'".

Cliente: *"Eu me ressinto da minha mãe".*

(Fizemos o teste energético e a resposta foi "Não").

Vianna: "Diga: 'Eu posso estar livre do fato de a minha mãe tornar a minha vida miserável'".

Cliente: *"Eu posso estar livre do fato de a minha mãe tornar minha vida miserável".*

(Isso é um trabalho de ressentimento. Mas eu ainda não terminei.)

Vianna: "Você gostaria de saber qual deveria ser a sensação de ter uma mãe de verdade? E saber o que é o amor verdadeiro de mãe? E a definição de Deus do que é amor materno de verdade?".

Cliente: *"Sim".*

Vianna: "Você gostaria de saber como, quando e que é possível ser uma mãe maravilhosa?".

Cliente: *"Sim".*

Vianna: "Diga, eu posso atender minha mãe".

Cliente: *"Eu posso atender minha mãe".*

(Fizemos o teste energético e a resposta foi "Sim".)

Vianna: "Diga: 'Minha intuição me diz que minha mãe receberia melhor o atendimento de outro curador'".

Cliente: *"Minha intuição me diz que minha mãe receberia melhor o atendimento de outro curador".*

(Fizemos o teste energético e a resposta foi "Não.")

Vianna: Diga: "Eu posso atender a minha mãe sem me sentir forçada a fazer isso".

Cliente: *"Eu posso atender a minha mãe sem me sentir forçada a fazer isso".*

(Fizemos o teste energético e a resposta foi "Sim".)

Vianna: "Você gostaria de saber qual é a sensação de conseguir dizer não de uma boa maneira?".

Como você pode ver, removemos alguns ressentimentos, mas, se essa fosse uma sessão normal, essa cliente não teria concluído o trabalho de crenças. Eu usaria todas as outras abordagens de digging conforme necessário e continuaria a trabalhar nas crenças da cliente de ser uma curadora e uma mãe.

Continue o trabalho de digging

Toda crença nos serve de alguma maneira. O cérebro irá criar novamente uma crença, mesmo depois de ter sido liberada e substituída por uma nova, a menos que você descubra por que a crença está lhe servindo. Encontre o motivo por trás do ressentimento e altere-o, para que o cliente possa avançar e remover permanentemente o ressentimento, por meio das seguintes perguntas:

- O que você está aprendendo com essa crença?
- Como isso lhe serve?
- Essa crença está mantendo-o seguro?
- Como esse ressentimento lhe serve?

Exemplo

Praticante: "Como esse ressentimento lhe serve? O que você está ganhando com isso? O que você está aprendendo com isso?

Cliente: *"Eu aprendi a me destacar. Aprendi a ser o melhor que pude em qualquer coisa que fiz, para atender às expectativas da minha mãe".*

Exemplo

Praticante: "Como isso serviu a você? O que você aprendeu com isso?"

Cliente: *"Aprendi que nunca bateria em meus próprios filhos. Aprendi a me agradar e ser independente. Eu aprendi que é mais seguro ficar sozinho".*

Praticante: "Tenho permissão para lhe fazer um *download* para que saiba que você pode ser independente sem falhar? Que você pode receber amor e que você está seguro sem ter de ficar sozinho?"

ABORDAGEM DE DIGGING 3: DOENÇA 1

Trabalhar com doenças pode levar muito tempo porque é fácil ficar viciado em seu drama. Além disso, quando subimos e perguntamos: "Deus, quantas crenças precisam ser mudadas?", recebemos uma lista longa a se trabalhar. Mas o que *deveríamos* estar perguntando é: "Quais crenças precisam ser mudadas para fazer com que essa pessoa fique bem?". E então a lista será mais curta porque, uma vez que as pessoas encontram o curador, elas podem estar prontas para se curar. Porém, tudo depende da capacidade de descobrir as coisas na interação cliente-praticante. Se o cliente está doente, a primeira coisa a ser feita é uma cura e ver se ele melhora.

Eu tive uma cliente com câncer espalhado em todo o seu corpo que tinha realizado vários procedimentos de quimioterapia. Ela era agressiva e ousada. Eu a reconheci como uma boa curadora e perguntei: "O que você fez para curar esse câncer?". Ela me deu uma longa lista de coisas diferentes que havia feito. Enquanto ela falava, eu subi e perguntei: "Deus, de que ela precisa?".

Foi-me dito que ela precisava de um pouco de trabalho de crenças. Quando eu tentei uma cura simples nela, a energia passou pelo seu corpo, saiu, e não teve nenhum efeito. Esta resposta me mostrou que ela tinha um coração partido, então dei-lhe o exercício do canto do coração (que eu compartilho no livro *ThetaHealing Avançado*) e disse a ela para fazê-lo antes de trabalharmos juntas novamente. Houve mudança nela depois disso. Eu estava esperando uma longa lista, mas era um coração partido na raiz da questão.

Descubra por que e quando a doença foi criada.

O trabalho de digging

Use o seguinte processo para revelar a crença-chave:

1. Descubra por que e quando a doença foi criada.
2. Descubra quais são as questões e só então comece a cavar mais fundo, usando as duas primeiras abordagens de digging.
3. Pergunte ao cliente quando a doença começou. Se o cliente não souber, suba e peça inspiração ao Criador.
4. Pergunte o que estava acontecendo em sua vida quando a doença começou. Em seguida, aprofunde-se nas perguntas para resolver o problema.

Faça as seguintes perguntas para descobrir por que a doença foi criada e por que a pessoa ficou doente.

- Quando você ficou doente pela primeira vez?
- Quando a doença começou?
- O que estava acontecendo em sua vida quando você ficou doente?

Exemplo

Um bom exemplo de como uma doença pode trazer aspectos positivos para a vida de alguém é demonstrado na seguinte história.

Uma mulher estava andando pela estrada e foi atropelada por um ônibus; ela ficou com os ossos quebrados e precisaram ser operados. Quando eles a abriram, descobriram que ela tinha câncer. Agora, com ossos quebrados, ela começou o tratamento para o câncer, mas nada estava funcionando. Depois que recebeu alta do hospital, ela trabalhou com muitos outros *ThetaHealers*, assim como outras modalidades, antes de vir me ver. Os médicos desistiram dela e ela se sentou na minha frente dizendo: "Ninguém pode me ajudar. O que eu faço?".

Em uma situação como essa, eu gosto de descobrir o que estava acontecendo quando a doença começou.

Vianna: "Quando você teve câncer pela primeira vez?".

Mulher: *"Eu não sei quando contraí câncer"*.

(Quando perguntei a Deus, foi-me dito que ela tinha tido câncer por sete anos.)

Vianna: "O que aconteceu há sete anos?".

Quando perguntei pela primeira vez o que estava acontecendo há sete anos, ela não conseguia se lembrar. No começo, ela disse que tudo estava ótimo naquele momento. É aqui que você deve dizer ao cliente para ir para casa e refletir sobre tudo o que estava acontecendo em sua vida quando a doença começou. Ela foi para casa, pegou seu diário e escreveu tudo o que estava acontecendo em sua vida naquela época.

No dia seguinte, conversamos novamente. Ela me disse que há sete anos ela ainda era casada e que o seu marido trouxe a mãe para casa, que precisava de muito cuidado. A mãe era muito cruel com ela, então ela foi até o marido e deu-lhe um ultimato: "Sou eu ou sua mãe". Isso geralmente é uma péssima ideia, já que quem ele escolheu? Isso mesmo, a mãe dele. Então, ela disse ao marido: "Eu vou deixar você", e ela foi embora. Então seu casamento havia terminado e seus filhos estavam com raiva dela. Depois de passar toda a sua vida adulta com seu marido e filhos, ela não tinha nenhum apoio financeiro (ou emocional) além dela mesma.

Vianna: "O que aconteceu de bom em sua vida desde o câncer?".

Mulher: *"Quando meu marido e meus filhos descobriram que eu tinha câncer, eu voltei com meu marido e meu relacionamento com meus filhos foi restaurado. Até minha sogra conversou comigo e me tratou civilizadamente"*.

Você acha que ela vai desistir do câncer que pode ter sido criado pelo estresse de sua sogra ter se mudado para sua casa e pela falta de amor de seu marido e filhos? Ela havia perdido tudo e agora, por causa do câncer, sua vida foi devolvida a ela.

Vianna: "Seu marido vai ficar com você se você se recuperar do câncer?".
Mulher: *"Não, ele não vai"*.

Os problemas reais não foram abordados, então ela iria ficar doente o mais longo tempo possível. Assim, comecei a fazer o trabalho de crença em:

"Eu sou amável".
"Eu posso ser amada sem estar doente".
"Eu posso ser forte sem estar doente".
"Minha família me amará sem que eu esteja doente".

Nós não trabalhamos no câncer em si, mas no fato de que ela pode ser amada sem o câncer. Depois de trabalharmos nesses problemas, fizemos uma cura no câncer. Depois de duas ou três semanas, ela me ligou para dizer que o câncer estava regredindo.

O trabalho de crenças que fiz com ela não foi especificamente sobre o câncer em si, mas sobre os seguintes programas:

"Eu sou amável sem estar doente".
"Meu marido ficará comigo se eu estiver doente".
"Eu preciso estar doente para ficar com a minha família".

ABORDAGEM DE DIGGING 4: DOENÇA 2

Descubra como a doença está servindo ao cliente. Peça ao cliente que vá para o futuro e pergunte a ele o que aconteceria se a doença acabasse e ele melhorasse. Como eles lidariam com essa nova situação?

Um exemplo disso é um cliente que tem diabetes. Perguntei como ele lidaria com o fato de estar completamente bem no futuro. Eu perguntei isso porque sabia que o diabetes tinha começado quando ele era adolescente, então ele seria capaz de lembrar qual era a sensação de estar saudável.

Ele me disse que, se não tivesse diabetes, ele se tornaria fisicamente mais ativo e se mudaria da cidade para ficar com os amigos. Enquanto imaginava esse futuro, seu rosto mudou e assumiu a energia da saúde antes de mudar para um olhar de horror.

Ele disse: "Se eu me tornar saudável, minha esposa me deixará porque ela não gosta de meus amigos e não gosta de estar ao ar livre. Ela ama a vida na cidade e meu diabetes é a única coisa que temos em comum. Ela me ajuda a cuidar disso. Se eu estiver bem, ela vai me deixar ou eu vou deixá-la".

Então perguntei se ele gostaria de mudar algumas coisas para que pudesse compartilhar seus interesses e amor pela natureza com sua esposa. Mas, em vez de estar aberto a mudanças, ele recusou e terminou a sessão.

Às vezes as pessoas têm mais medo de ficar bem do que de estar doentes. Por exemplo, eles podem ter medo de perder sua licença médica e ter de voltar a trabalhar novamente. Descubra a verdadeira motivação do cliente por trás da doença. Mude esta crença para que o cliente esteja motivado a ficar completamente bem.

Inicie o trabalho de digging

Para descobrir por que alguém está doente, pergunte:

- O que vai acontecer com você se melhorar?
- O que aconteceria se você estivesse completamente curado?
- Como a doença serviu a você, e o que de positivo você tirou dela?
- Qual foi a melhor coisa que aconteceu com você por estar doente?
- O que você aprendeu por estar doente?

Mas como alguém pode ficar saudável se o seu foco não for melhorar?

A seguinte troca com um homem que veio me ver com HIV serve como um bom exemplo.

Vianna: "Ok, você tem HIV. O que vai acontecer se você melhorar?".

Homem: *"Ah, eu não quero melhorar. Eu só quero que você diminua minha carga viral. Eu não quero que a doença seja extinta, porque se for extinta eu vou perder meu pai e minha família".*

Vianna: "O quê?".

Homem: *"Meu pai odiava que eu fosse homossexual e me deserdou. Mas agora que eu tenho HIV, ele está na minha vida novamente. Eu como melhor, cuido melhor de mim e tenho uma família novamente".*

Vianna: "Gostaria de saber que você pode ter tudo isso sem o HIV?".

Homem: *"Não, eu não quero ficar bem. Eu só quero diminuir minha carga viral, para que não se transforme em AIDS".*

Vianna: "Você não gostaria de saber que seu pai poderia amar você mesmo sem você estar doente?".

Homem: *"Não, eu conheço meu pai. Isso é tudo que eu quero".*

Essa conversa me mostrou por qual razão ele estava mantendo o HIV. O amor de seu pai era mais importante. Então, eu fiz o que ele pediu e fiz uma cura em sua carga viral.

Quando pergunto aos clientes: "Qual coisa boa aconteceu com você desde que desenvolveu o câncer de mama", a maioria dirá: "Minha família se uniu". Essas energias positivas agarram-se à doença. É porque somos centelhas de Deus. Nós criamos coisas por um propósito.

A lista curta e a lista longa

Cada pessoa tem uma longa lista de coisas a fazer para se curar. Uma lista longa pode sobrecarregar demais, por isso é melhor começar com a lista curta. A lista longa diz respeito a toda a vida da pessoa, em todos os níveis, e a lista resumida é focada na doença. Primeiro, cure as questões de curto prazo e depois trabalhe na saúde a longo prazo e, assim, nem você nem o cliente ficarão sobrecarregados.

Também vale a pena notar que alguns curadores tentam *fazer* seus clientes viverem porque estão ligados a eles. Se o cliente melhorar, você ainda estará ligado a ele. Se o cliente for para outra dimensão, você ainda estará ligado ele. E lembre-se de que nem todas pessoas que estão doentes também são pessoas agradáveis. Pessoas más também ficam doentes.

Se você achar que seu cliente está doente e que precisa de você, lembre-se de que ele está doente e precisa do Criador. Você é a testemunha. Pode ser difícil lidar com a pressão de sentir que você é a última esperança de um cliente. Você pode acabar se sentindo emocionalmente envolvido e até suplicar a Deus: "Por favor, Deus, por favor, Deus, ajude essa pessoa".

ABORDAGEM DE DIGGING 5: MANIFESTAÇÃO

Essa abordagem do digging é usada para libertar a mente do cliente para que ele possa manifestar seus sonhos. O digging para criar manifestações está focado no que acontecerá no futuro, quando o cliente tiver o que deseja, ou seja, diga ao cliente para imaginar como seria ter o que deseja.

Manifestar abundância não é simplesmente pedir riqueza material, porque o Universo sabe que o dinheiro é feito de papel e o subconsciente também. Em vez disso, manifeste para o que você *faria* com o dinheiro e então deixe o Universo preencher as lacunas.

A lista de objetivos

Se não criarmos uma lista de objetivos todos os anos para manter o foco da alma, podemos manifestar os mais estranhos problemas para nos manter entretidos – porque, sem desafios, ficamos entediados. Eu tenho observado isso em muitos dos meus alunos e em mim também. Se não estamos manifestando em todas as áreas de nossas vidas, o Universo preencherá os espaços em branco para nós.

É por isso que é tão importante dar ao Universo uma lista contínua de manifestações que funcionam para você, em vez de contra você. Se você diz: "Tudo está perfeito na minha vida, eu não quero nada", o Universo criará algo para você – e pode ser algo que você não deseja. Por exemplo, se você quer um novo cristal, você pode manifestar: "Preciso de 15 mil dólares para comprar um novo cristal". No entanto, é do cristal que você precisa, não do dinheiro, então é para isso que você deve manifestar. Dessa forma, quando alguém lhe dá um cristal – porque está ocupando muito espaço em sua casa e eles sabem que você o apreciaria –, é um detalhe que o cristal valha 15 mil dólares. Você ficaria surpreso com a frequência com que isso acontece.

O problema de se manifestar apenas uma coisa de cada vez é que os curadores são muito intuitivos e, se tiverem uma lista, o subconsciente a tratará como uma "lista de compras" e marcará os tópicos um por um, fazendo com que eles aconteçam. Se a única coisa que você fala para o seu subconsciente trabalhar é na segurança financeira, pode levar uma vida inteira para que ele conclua esse objetivo. Portanto, é melhor manifestar por pelo menos dez coisas ao mesmo tempo.

Estar em sincronia com o tempo divino

Muitos anos atrás, eu não estava manifestando como deveria, então decidi manifestar algo para que o Universo não preenchesse os espaços em branco. Decidi que queria um lugar onde pudesse cultivar vegetais orgânicos para minhas aulas, então subi e manifestei dez acres de terra e, em uma semana, o pai do meu marido nos deu uma fazenda de 250 acres. Isso foi um pouco assustador no começo, porque o local precisava de bastante reforma e, assim, levou algum tempo até que eu pudesse começar a cultivar vegetais orgânicos!

Eu perguntei a mim mesma: "Então, agora tenho uma fazenda, o que vou fazer com ela?". Inicialmente, a fazenda era usada como campo de inverno para vacas, mas, como eu não era boa com vacas, decidi criar cavalos.

Eu queria criar cavalos frísios desde que assisti ao filme *O Feitiço de Áquila* – o cavalo preto frísio do filme era tão imponente e gentil. A linha frísio vem da Holanda e foi originalmente criada para levar cavaleiros para a batalha. Porém, como a necessidade de um cavalo de montaria ficou fora de moda, eles foram usados para adestramento, carruagens e trabalhos leves. Meu desejo de possuir um cavalo frísio era um tanto desfocado: eu sabia que queria um, mas esse desejo ainda não estava conectado ao restante da minha vida. No entanto, eu sabia que gostava mais de olhar para os cavalos do que realmente cuidar deles e sabia que precisaria de alguém para fazer isso para mim. Então, entrei na Internet para comprar uma égua Frísia e, quando encontrei uma de que gostei, perguntei ao Criador sobre isso e me foi dito: "Se esta égua ficar onde está, ela morrerá".

Em qualquer conversa com o Criador, é sempre melhor fazer uma ampla variedade de perguntas, como "Eu posso salvar esta égua ou ela vai morrer de qualquer forma?". Mas eu não fiz essa importante pergunta e comprei a égua, para que eu pudesse salvá-la. Enviei a égua da Califórnia para a fazenda e, cerca de duas semanas depois, ela morreu. Quando recebi a mensagem da minha filha, o tom dela me assustou a princípio, porque ela estava agindo como se alguém da família tivesse morrido. A notícia me deixou triste, mas fiquei muito aliviada ao descobrir que foi a égua e não um dos meus filhos.

Perguntei: "Deus, por que essa égua morreu?".

Deus disse: "Vianna, você não ouviu a mensagem. Você compra uma égua morta, você ganha uma égua morta. O alimento que deram a ela na Califórnia a deixou doente". (Eu não precisaria ter passado por essa lição se tivesse escutado o que estava sendo dito.)

O veterinário veio e examinou a égua para encontrar a causa da morte e, com certeza, vestígios de *ergot* (grão mofado) apareceram em seus tecidos. Esse tipo de mofo é um problema na Califórnia e provavelmente ocorreu em razão da umidade que entra na unidade de armazenamento de grãos. Esse tipo de mofo é mortal para uma égua prenha e a opinião do veterinário era que ela havia sido alimentada com ração envenenada por um tempo.

O seguro cobria o custo do cavalo e, indecisa, mas muito mais sabiamente, decidi manifestar o mesmo desejo novamente sob um critério muito mais rigoroso. Levando em conta que perdi um cavalo, decidi manifestar dois cavalos e encontrei dois frísios do Estado da Carolina. Mas desta vez eu manifestei sob os auspícios do ThetaHealing, como representação para o curso que ensino chamado Animal. Isso significa que deveria haver uma correlação direta entre os cavalos e o ThetaHealing para que funcionasse para mim. A outra mudança que fiz foi criar cavalos frísios de puro sangue para ajudar a salvar a raça.

É também por isso que é muito importante conhecer seu **tempo divino** e interconectar manifestações com ele, não contra ele. Se o seu tempo divino é influenciar 1 milhão de pessoas e você manifesta a vontade de morar sozinho em uma ilha deserta, você provavelmente não receberá o que deseja. Mas, se a ilha deserta for utilizada para influenciar esse 1 milhão de pessoas, você poderá manifestar seu desejo.

Você pode manifestar qualquer coisa, desde que esteja sincronizado com o seu tempo divino.

Almas gêmeas e centros de cura

Ao manifestar, imagine como é ter o seu desejo e, depois de receber a manifestação, assuma a responsabilidade por ela. Em outras palavras, se você compra um cavalo, precisa cuidar dele e, se manifestar por uma alma gêmea, terá de viver com ela.

Muitas vezes, as pessoas dizem que querem manifestar uma alma gêmea, mas o que elas realmente querem é uma alma gêmea compatível. Afinal, a maioria de nós não quer um parceiro que podemos simplesmente chamar e tirar do armário quando precisarmos dele. Queremos alguém com cérebro e isso não é fácil – e os curadores, especificamente, nunca querem que as coisas sejam fáceis. Entretanto, às vezes é melhor manifestar por uma alma gêmea compatível até que você esteja pronto para permitir que ela seja um parceiro de vida divino. E, se você quer um parceiro de vida divino, primeiro você precisa perguntar se a pessoa está pronta para você e se você está pronta para ela. Sonhei com o Guy por dez anos antes de conhecê-lo. E, se eu o tivesse conhecido mais cedo, não teríamos nos dado tão bem. Só funcionou porque nós dois estávamos prontos para nos conhecermos.

Simplificando, entenda que, quando você faz uma manifestação, você pode simplesmente obtê-la. Se o seu subconsciente achar que receber a manifestação trará muito perigo, muito estresse ou é simplesmente demais para você, ele impedirá que a manifestação aconteça. É também por isso que é importante analisar as possibilidades de por que seu subconsciente pode bloquear a manifestação.

Sempre pergunte: "O que acontecerá se eu receber a manifestação?".

Por exemplo, muitos curadores querem manifestar um centro de cura. Quando ouço isso, costumo dizer: "Você está louco? Deseja mesmo trabalhar em um centro de cura com outros curadores?".

Afinal, um centro de cura soa como o ambiente ideal, mas a mistura de personalidade dos curadores pode ser muito diferente na realidade – e a competição é sempre um fator. Portanto, se a manifestação de um centro de cura estiver na sua lista, também recomendo a manifestação de curadores que tenham moral, integridade e que possam trabalhar juntos, além de um bom contador.

Talvez você queira se manifestar como um curador de sucesso, mas você realmente quer isso? Pense no que aconteceria se você fizesse seis atendimentos por dia e todos os seus clientes fossem curados? No dia seguinte, você teria 50 telefonemas. E o que aconteceria se todas essas 50 pessoas também se curarem? No final da semana, você poderá ter mil pessoas pedindo curas. O que aconteceria se você tivesse mil pessoas pedindo curas? E se de alguma forma você fosse capaz de curar essas pessoas, 10 mil estariam atrás de você para curas – em prantos e doente, gritando por curas. Em algum momento, ser um curador de sucesso o tornará sobrecarregado, e é por isso que os curadores querem que apenas algumas pessoas melhorem de cada vez.

E, se seus clientes não estão melhorando, você precisa aprender a ser um curador melhor. Para ser um curador melhor, saiba que Deus é o curador e encontre a crença do cliente, mas saiba também que você não pode fazer com que alguém se cure se a pessoa não quiser ser curada. É importante dizer a seus clientes que você pode trabalhar com eles, mas que o Criador é o curador.

Para manifestar ser um melhor curador, libere quaisquer medos, dúvidas e descrenças associadas a isso. Entenda que você precisa ser gentil, atencioso e não pode julgar. Se você se manifestar como um curador melhor e não tiver as habilidades certas, o Universo criará situações para ensiná-las a você, porque todas as manifestações possuem consequências associadas a elas.

Inicie o trabalho de digging

Peça ao cliente para visualizar o que faria de sua vida se tivesse muito dinheiro – mais do que jamais poderia gastar. Depois, peça ao cliente que elabore a situação, fazendo as seguintes perguntas enquanto ele visualiza o resultado:

- Onde você está?
- Como você se sente?
- Quem está com você?
- Como a sua família/amigos/alma gêmea reagem a essa abundância?

Continue o trabalho de digging

Descubra as questões que deixam o cliente desconfortável em sua visualização e comece a se aprofundar no digging para resolver quaisquer questões que possam estar impedindo-o de criar a abundância.

Faça perguntas para identificar os problemas e incentive o cliente a visualizar toda a abundância que sempre desejou. Peça ao cliente para visualizar:

- O que você faria se tivesse todo o dinheiro que sempre quis?
- Onde você estaria se tivesse todo o dinheiro que sempre quis?
- Como você se sente com todo o dinheiro que sempre quis?
- Onde você moraria?
- Quem está com você? Como eles são?
- Existe um(a) companheiro(a) em sua vida e, se houver, como sua família e amigos reagem a todo esse dinheiro?
- Como sua família e amigos reagem à sua manifestação?
- Que pessoa ou pessoas em sua vida ficariam chateadas com você se você fosse bem-sucedido?
- O que eles diriam para você?
- O que poderia dar errado se você tem tudo o que deseja?
- Qual a melhor coisa que aconteceria se você tivesse tudo o que queria?

ABORDAGEM DE DIGGING 6: GENÉTICA

Ao fazer o teste energético em busca de crenças, haverá momentos em que o cliente não terá consciência de alguns dos programas que surgirem. Quando isso acontece, o cliente pode ficar confuso, dificultando a continuidade do trabalho de digging.

É provável que esse cenário ocorra quando as crenças são de natureza genética – transmitidas pelo DNA de seus ancestrais. (Veja também a página 41.) Por exemplo, o cliente pode ter preconceito, raiva ou ressentimento contra certas pessoas. As crenças dos antepassados também podem estar desatualizadas e não servirem a ele na sua vida atual.

Ancestrais

Se você não consegue encontrar as respostas acerca de onde vem a crença, então é hora de olhar para os ancestrais do cliente e perguntar:

- Como eles eram?
- Em que eles acreditavam e em que medida suas crenças os afetavam?
- Que tipo de energias herdou deles?

Certa vez, assumi uma aula de anatomia intuitiva que meu filho estava ensinando (por causa de uma emergência). Havia apenas dez alunos e eu não lecionava uma turma tão pequena por muitos anos, muito menos uma aula básica. Veja, quanto menor a turma, mais perguntas as pessoas farão. Não há problema nisso, mas também significa que os alunos podem tirá-lo da tarefa de ensinar e quererem aproveitar a oportunidade de se destacarem, assim como outros comportamentos de exibição que não são propícios a um ambiente de aprendizado.

Era hora de fazer uma demonstração de trabalho de crenças e um dos estudantes, um jovem britânico, capricorniano, de 21 anos, parecia pensar que sabia *tudo* e recusou-se a fazer qualquer trabalho de crença porque achava que ele era perfeito. Após a primeira semana e tendo trabalhado com ele em sessões de trabalho de crenças, o restante dos alunos estava ficando cada vez mais frustrado com ele.

Era rápido em apontar as falhas nos outros e pensava que não tinha nenhuma. Os outros alunos sabiam que ele tinha muitos problemas, mas ele não trabalhava em nenhum deles. Tornou-se evidente que, para salvá-lo do restante da turma (que estava planejando um churrasco britânico), eu deveria trazê-lo à tona e trabalhar com ele na frente da turma:

Vianna: "Vamos fazer um trabalho de crenças".

Aluno: *"Estou perfeitamente bem, tudo está indo perfeitamente bem na minha vida e eu não preciso de trabalho de crenças".*

Vianna: "OK, então, em vez disso, vamos trabalhar com seu pai e você será capaz de dizer se herdou algum programa genético dele – mas é claro que você apenas os herdou, você não os *possui* de verdade. Se podemos mudá-los em você, eles podem mudar nele, se ele aceitar".

(Ele ficou muito animado naquele momento.)

Aluno: *"Eu adoraria trabalhar nisso".*

Vianna: "OK, no que você gostaria de trabalhar?".

Aluno: *"Meu pai, você não pode contar nada para ele! Ele sabe de tudo. Ele nunca ouve a mais ninguém; ele se acha perfeito e não escuta nada do que eu digo. Ele quer que eu seja advogado, mas eu quero ser músico e é impossível me comunicar com ele. Eu gostaria de mudar isso em meu pai".*

(Nesse ponto, os outros alunos ergueram as sobrancelhas.)

Vianna: "Por que você acha que seu pai é assim?".

Aluno: *"Ele era mais velho do que a minha mãe quando se casaram. Meu pai era prisioneiro de guerra e o único membro de seu pelotão que sobreviveu à captura. Ele aprendeu que a única pessoa na qual ele poderia confiar para se manter vivo era ele mesmo".*

Vianna: "Você gostaria de saber que é seguro ouvir a opinião dos outros e que você pode tomar suas próprias decisões? Que é seguro ouvir e estar vivo?".

(Após esses downloads, ele começou a trabalhar com as outras pessoas da turma.)

Mais tarde, ele me ligou e disse: "Vianna, aquele trabalho que fizemos na aula realmente funcionou! Meu pai me escuta e está me deixando voltar para a escola para ser músico em vez de advogado. Obrigado por mudar minha vida".

Este é um bom exemplo de como os programas ancestrais podem afetar nossas vidas e como sempre há algo para trabalharmos.

Inicie o trabalho de digging

A maneira para iniciar o trabalho ancestral é começando com os pais do cliente. A melhor maneira de olhar para nossos pais é com alguma compaixão, porque eles não foram ensinados a como ser pais.

Pergunte:

- Como é sua família?
- Em que eles acreditam?
- De onde eles vieram?
- O que aconteceu com sua mãe, seu pai ou com os parentes deles?

Em alguns casos, o cliente não terá muito conhecimento sobre seus ancestrais e é aí que entra a sua intuição. Você precisará pedir ao cliente para tocar em sua pele e olhar interiormente para ver o que surge no caminho das crenças.

Toda vez que você realizar um trabalho de digging em nível profundo, seu cliente mudará em um nível genético – às vezes até em sua predisposição genética. Obviamente, as tendências genéticas estão atualmente bem estabelecidas na medicina, mas testes científicos recentes sugerem fortemente que as pessoas que passaram por uma experiência traumática podem também ter enviado trauma a seus filhos e aos filhos deles, e assim por diante.

A pesquisa, liderada por Rachel Yehuda, deriva do estudo genético de 32 homens e mulheres judeus que foram internados em um campo de concentração nazista, testemunharam ou sofreram tortura, ou tiveram de se esconder durante a Segunda Guerra Mundial. Os pesquisadores também analisaram os genes de seus filhos, que são conhecidos por ter uma probabilidade maior de distúrbios de estresse, em comparação com famílias judias que viveram fora da Europa durante a guerra. "As alterações genéticas nas crianças só podem ser atribuídas à exposição dos pais ao holocausto", disse Yehuda.

O trabalho de sua equipe é o exemplo mais claro, em humanos, da transmissão de trauma a uma criança por meio do que é chamado de "herança epigenética" – a ideia de que influências ambientais, como o fumo, a alimentação e o estresse, podem afetar os genes de nossos filhos e possivelmente até de nossos netos.

O estudo da epigenética ainda é controverso porque a convenção científica afirma que os genes contidos no DNA são a única maneira de transmitir informações biológicas entre gerações. No entanto, nossos genes são modificados pelo ambiente o tempo todo por etiquetas químicas que se ligam ao nosso DNA e ativam e desativam os genes. Estudos recentes sugerem que algumas dessas etiquetas podem, de alguma forma, passar por gerações – o que significa que o nosso meio ambiente também pode impactar a saúde de nossas crianças.

Os pesquisadores estavam especificamente interessados em uma parte do gene associada à regulação dos hormônios do estresse, que é conhecido por ser afetado por traumas.[3] "Faz sentido observar esse gene", disse Yehuda. "Se houver um efeito de transmissão de um trauma, seria em um gene relacionado ao estresse, que determina a maneira como lidamos com nosso ambiente."[4]

Continue o trabalho de digging

Se o cliente disser que seria errado se curar, provavelmente essa é uma crença ancestral. Juramentos, votos ou compromissos passados – como ser humilde e pobre para estar mais perto do Criador – quase sempre não são mais úteis na vida moderna e devem ser alterados para ajudar o cliente a se curar.

Exemplo

Praticante: "Por que você não pode ser curado?".

---

3. Hughes, V. 2013. "Mice Inherit Specific Memories, Because Epigenetics?" Disponível em: <www.nationalgeographic.com/science/phenomena/2013/12/01/mice-inherit-specific- memories-because-epigenetics/>; acesso em 21 de janeiro de 2019.
4. Birney, E. 2015. "Study of Holocaust survivors finds trauma passed on to children's genes." Disponível em: <www.theguardian.com/science/2015/aug/21/study-of-holocaust-survivors-finds- trauma-passed-on-to-childrens-genes>; acesso em 21 de janeiro de 2019.

Cliente: *"É errado que eu me cure, porque ser curado significa que estou sendo egoísta".*

Faça as perguntas a seguir e continue o digging para identificar a questão genética, perguntando ao cliente se uma determinada crença é de sua mãe, pai ou de um de seus ancestrais.

- Essa crença é da sua mãe?
- Essa crença é do seu pai?
- Essa crença é de um de seus ancestrais?
- Se você pudesse trabalhar no seu pai ou na mãe, em que crença gostaria de trabalhar?
- Como essa crença os serviu e o que eles ganharam com ela?
- Eles aprenderam tudo o que essa crença precisava ensiná-los?

Se o teste energético do cliente der uma resposta "Sim", faça no cliente o *download* de que "está concluído" e da sensação de que eles podem seguir adiante.

Lembre-se de que nem todas as crenças ancestrais precisam ser alteradas, porque muitas – como teimosia, humor e perseverança, por exemplo – são benéficas.

ABORDAGEM DE DIGGING 7: NÍVEL HISTÓRICO

Quando aprendemos a entrar em um estado Theta, nossos sentidos intuitivos se abrem e também podemos experimentar lembranças de vidas passadas. Como profissional, isso é algo de que você deve estar ciente, para que possa guiar o cliente nesse período delicado. Se o cliente ficar tão consumido com as memórias, será difícil para ele entender o que realmente importa e seguir adiante.

É por isso que, quando crenças do nível histórico surgem em uma sessão de digging, você precisa testar energicamente o cliente para verificar se a vida passada foi *concluída*. Se você receber uma resposta "Sim", poderá realizar no cliente o *download* de que essas questões foram concluídas. Se a energia for testada com uma resposta "Não", pergunte ao cliente o que ele aprendeu com sua vida passada.

Geralmente, apenas um décimo dos clientes precisará trabalhar nesse nível. De fato, a maioria das pessoas que frequentam as aulas de ThetaHealing já está graduada da energia do Terceiro Plano, e suas vidas passadas estão resolvidas, mas isso não impede que se lembrem delas.

Ao lidar com crenças do nível histórico, as primeiras vidas passadas das quais se lembram são geralmente as mais trágicas. Nas leituras, você perceberá que as pessoas sempre falam sobre suas dificuldades primeiro e ficar preso em uma vida passada pode causar um grande problema no trabalho de crenças. É fácil ser consumido pelas energias de vidas passadas, a menos que tiremos a parte boa dessas experiências e continuemos com a nossa vida. Nosso foco deve estar em ajudar este planeta a acordar aqui e agora.

Se isso ajuda a lembrar de outro tempo e lugares, é bom, mas muitas vezes até bons intuitivos ficam presos no passado.

Eu tinha 31 anos quando tive minha segunda grande experiência de vidas passadas, durante um **trabalho de desbloqueio**. A lembrança foi tão forte que a maca em que eu estava deitada se quebrou – simplesmente se partiu em dois pedaços, sem motivo. A lembrança era tão detalhada: eu era uma alta sacerdotisa egípcia e eles haviam arrancado meu coração. Eu fiquei consumida com a lembrança dessa época e passei um ano tentando lembrar de mais e resolver os problemas. Agora eu valorizo que tive a sorte de não me tornar completamente consumida por essa lembrança.

A princípio, o que lembrei da minha primeira experiência de vida passada foi que as pessoas que o amam o traem. Mas, quando perguntei a Deus sobre essa vida, foi-me dito: "Você precisa alterar essa crença, e não, não foi isso que você aprendeu". Então o Criador me mostrou as virtudes que eu havia aprendido naquela vida; era uma das duas vidas nas quais eu adquiri muitas das virtudes que carrego de vida em vida.

Outros intuitivos que conheço não tiveram tanta sorte. Por exemplo, uma pessoa sensitiva que eu conheço lembrou que ela era o Cacique Nuvem Vermelha em uma vida passada. Ela estava tão consumida com essa memória que isso afetou sua estabilidade mental e ela acabou sendo presa por dizer às pessoas que ela era o Cacique Nuvem Vermelha. Lembre-se, existem muitas razões para memórias de vidas passadas; elas podem vir da genética ou de outras influências.

Algumas pessoas acumulam essas essências e carregam crenças de vidas passadas, como um **voto** de pobreza. Como praticante, você pode simplesmente subir e comandar que ele, o voto, seja simplesmente removido. Entretanto, em algum nível, o juramento foi feito por uma razão e a tentativa de removê-lo não fará nenhum bem, pois ele se reinstalará. Mas, se você reconhecer que a experiência da vida passada foi eficaz, então a energia do juramento pode ser transformada, ou deslocada para a vida presente, como *concluída*. Então, você pode testar energicamente o cliente para ver se o juramento ou voto foi concluído. Se houver algo que o cliente se lembre com clareza, você pode perguntar o que ele aprendeu com essa vida.

Às vezes, os intuitivos usam vidas passadas como uma tela para evitar lidar com o problema que está oculto. Quando um cliente começa a falar sobre vidas passadas, alguns curadores usam a desculpa "Eu serei morto por ser um curador" para seguir adiante como curador. Isso é verdade para a maioria dos curadores no passado e pode nos deixar com mais medo do sucesso e da publicidade do que do fracassso. Mas é também por isso que devemos buscar resolver esses programas – porque essa é a nossa missão, a razão pela qual viemos aqui.

Em todas as vidas, alcançamos diferentes virtudes; no entanto, geralmente há duas ou três vidas em que alcançamos mais virtudes que outras. Essas são as vidas de que mais nos lembramos e eu as chamo de "vidas de graduação". Como mestres nesta existência, estamos tentando lembrar de todas as virtudes que alcançamos e dominamos, recordando que as virtudes são as vibrações mais elevadas do pensamento. Eu listo as virtudes necessárias para ser um bom curador no livro *Planos da Existência*.

Crenças de vidas passadas

Na realidade, todos nós temos o direito de pedir ao Criador por curas. Mas, se tivermos certas virtudes, as curas serão mais eficientes. Uma das virtudes necessárias para a cura é a bondade. Quando o mestre se lembrar da virtude da bondade, a vida em que alguém dominou a virtude da bondade virá à mente.

Como descrevi anteriormente no livro, há quatro níveis em que as crenças são mantidas em um indivíduo:

- Central
- Genético
- Histórico
- De Alma

Algumas das crenças inerentes ao nível histórico incluem crenças de vidas passadas e crenças de consciência de grupo.

O nível histórico tem memórias energéticas que nos tornam o que somos e nos ajudam a crescer. No entanto, algumas dessas experiências podem ser de natureza negativa e essas energias precisam ser resolvidas. Nesse caso, você precisará testemunhar o trauma e o drama do cliente e resolver essas energias emocionais enviando-as à luz de Deus – além de ajudar o cliente a enxergar os aprendizados dessa memória.

Por exemplo, digamos que alguém foi queimado na fogueira por ser um curador em uma vida passada. No presente momento, ele está sendo atacado por ser um curador, visto que, de alguma forma, está inconscientemente recriando a situação. Isso significa que ele precisa resolver a questão da vida passada, mandando embora a dor e a angústia dessa experiência. Dessa forma, a pessoa não ficará revivendo o evento, mas manterá a memória de ser um curador.

Um bom exemplo de uma crença do nível histórico é uma que mencionei anteriormente no livro: a aluna que pensava que era Joana D'Arc (consulte as páginas 61 e 62). Durante o digging, a aluna disse: "Eu devo sacrificar a minha vida por minhas crenças" e ela acreditava que era Joana d'Arc. Não importa realmente se isso era "verdade" ou de onde isso veio. O que importava era alterar a crença de que ela precisava morrer por aquilo que acreditava, e a energia daquela crença foi concluída. Depois disso ela se tornou capaz de acreditar em que ela precisava, mas ainda assim levar uma vida saudável.

Nós não tentamos remover a crença de quem o cliente acredita ser, mas sim substituir a crença residual que está causando um problema.

A presença de crenças de vidas passadas não significa necessariamente que elas foram realmente vividas. Algumas pessoas intuitivas acumulam memórias de vidas passadas de outros indivíduos a partir de impressões fantasmas ou objetos inanimados, como cristais. As velhas memórias dessas impressões podem ser confundidas com vidas passadas. Em tudo o que tocamos deixamos nossa essência, o mesmo acontece em qualquer coisa tocada por alguém. Algumas dessas energias podem vir de memórias genéticas ou dos Registros Akáshicos. Quando estamos no estado mental propício, podemos experimentar algumas dessas memórias sobrepostas.

Crenças de consciência de grupo

Quando muitas pessoas têm a mesma crença, como "o diabetes é incurável", elas aceitam como um fato e isso se torna uma crença de consciência de grupo. Quando um suficiente número de pessoas acredita na mesma coisa, isso se torna parte da consciência coletiva da humanidade. Quando uma pessoa intuitiva se conecta à consciência coletiva, ela pode ser aceita e confundida com uma verdade absoluta. Quando isso acontece, a crença precisa ser alterada para uma energia positiva.

Exemplos de crenças de consciência de grupo incluem:

"O diabetes é incurável".
"O fim do mundo está chegando".
"Foi culpa minha que Atlantis tenha sido destruída".
"Tenho medo de usar o meu poder".
"Fiz um voto de pobreza".

Inicie o trabalho de digging

Encontre essas crenças e altere-as, para que elas não afetem a vida do cliente. Faça o comando ou solicite: "Isso está concluído agora. Isso está terminado. Estou pronto para seguir adiante. Gratidão. Está feito. Está feito. Está feito".

Continue o trabalho de crenças perguntando:

- Quando isso começou?
- O que você ganhou com isso?
- O que você aprendeu com isso?
- Está concluído? Se a resposta for "Sim", comande que "foi concluído nesta vida" e "eu não preciso mais disso".

ABORDAGEM DE DIGGING 8: O IMPOSSÍVEL

Mesmo que o Criador esteja realizando a cura, você é a testemunha. Se você acredita que a cura é impossível, o testemunho da cura também será impossível. De fato, sempre que você pensa que é impossível curar algo, é claro que é impossível! É por isso que somos *ThetaHealers*, porque somos realmente bons em fazer o impossível. Nosso trabalho é "tudo é possível".

Alguns cientistas acreditam que muitas coisas são impossíveis, incluindo a cura. Entretanto, a medicina convencional acaba de descobrir um órgão até então desconhecido no organismo – denominado "interstício"; que foi esquecido nos últimos 150 anos de estudo anatômico e pode ajudar os médicos pesquisadores a entenderem como o câncer se espalha.[5] Da mesma forma, os cientistas pensavam que a glândula pineal não tinha propósito e, quando eu era pequena, os médicos removiam arbitrariamente as amígdalas sob o pretexto de que eles eram "inúteis".

Uma vez quando eu morava em Idaho, fui a uma consulta médica porque não estava me sentindo bem. Durante o exame físico, a médica olhou para a minha garganta e disse que eu tinha a maior amígdala que ela já havia visto, e perguntou por que elas não foram removidas há muito tempo? Isso não parecia certo para mim e eu me recusei a fazer uma cirurgia e, em vez disso, fiz uma cura. Foi também nessa época que me mudei de Idaho para Montana.

Quando eu morava em Idaho, era alérgica a todos os arbustos e mato (de acordo com o médico). No entanto, quando me mudei para Montana e fui a um médico para fazer os mesmos testes de alergia, eu não era mais alérgica a nada. Mas você sabe o que mais se foi? Minhas amígdalas inchadas. Esse médico me disse que não conseguia encontrar minhas amígdalas e me perguntou se eu as tinha removido. No entanto, a outra médica, um ano antes, me disse

---

5. Gabbatiss, J. 2018. "Interstitium: New organ discovered in human body after it was previously missed by scientists." Disponível em: <www.independent.co.uk/news/health/new-organ- human-body-interstitium-cancer-skin-scientists-discovery-new- york-a8275851.html>; acesso em 30 de janeiro de 2019.

que eu tinha as maiores amígdalas que ela já havia visto. Isso deve ser impossível!

Coloquei o laudo médico de alergia com todos os outros, como a insuficiência cardíaca congestiva (quando sobrevivi, o médico disse: "Oh, não é possível!"), o tumor na minha perna (ao qual os médicos disseram: "eu não sei para onde ele foi"). Todos esses laudos estão em um cofre, para que um dia alguém os veja e perceba que todos eram impossíveis.

O impossível é uma elucubração mental.

Certa vez, trabalhei com uma garotinha de 3 anos com diabetes tipo 1. Eu fiz uma cura nela e testemunhei o trabalho do Criador no DNA dela. Desde a cura, a criança não usava insulina há cinco anos, mas a mãe da criança dizia: "Minha filha tem diabetes tipo 1 e já faz cinco anos desde que ela usou insulina". Ao dizer que sua filha "tem diabetes tipo 1", ela está esperançosa de que o diabetes tenha desaparecido, mas não acredita fielmente nisso. Em algum lugar de seu subconsciente, acreditava que o diabetes ainda estava lá.

A cura intuitiva também está relacionada a quanto esclarecemos crenças relativas ao que é percebido como impossível. O trabalho de crenças deve se concentrar em tornar possível o que é percebido como impossível. No curso DNA 3, os *ThetaHealers* aprendem a realizar trabalhos de cura no meio ambiente e no planeta, conscientizando-se das crenças impossíveis inerentes às crenças massivas da consciência de grupo. Eles começam a aprender sobre quem são, não como seres tridimensionais, mas como seres multidimensionais, tendo uma experiência tridimensional. Esse corpo humano é o nosso sistema de suporte à vida, mas somos mais do que o físico. Provar isso envolve convencer os alunos de que eles *podem* mover a matéria com puro pensamento. Mas muitos estudantes desistem desses exercícios porque acreditam que são impossíveis. Coisas impossíveis podem ser feitas.

Inicie o trabalho de digging

Algumas pessoas pensam que deixarão suas famílias e passarão para outra dimensão quando se confrontam em mudar as crenças do impossível. Esses são medos reais e o cliente pode precisar de muitos *downloads* para que se sinta confortável.

No trabalho de crenças, as perguntas a serem feitas são:

- O que acontecerá se puder fazer o que você pensa ser impossível?
- O que acontecerá se conseguir mover a matéria com a sua mente?
- O que acontecerá se você puder testemunhar curas?

Essas perguntas são coisas que podem gerar medos terríveis nas pessoas, como:

"Se eu puder fazer isso, as pessoas terão medo de mim".

"As pessoas tentarão me matar".

"Somente Cristo pode curar".

"É errado ser como Cristo".

"Se eu fizer 'magia', posso ser queimado como uma bruxa".

Os clientes geralmente acreditam que é difícil alterar as crenças sobre o impossível. Por isso, é importante esclarecer esses e outros medos, para que o cliente entenda que é seguro fazê-lo e que não estarão utilizando inapropriadamente suas habilidades ao fazê-lo.

O Novo Testamento nos diz que Cristo fez muitos milagres. Em essência, Cristo disse: "Você pode fazer as coisas que eu faço". Mas havia outro homem chamado Apolônio que, na mesma época, teria feito curas da mesma maneira que Cristo, porém muito pouco foi escrito sobre ele. Ao longo da história, houve inúmeras referências sobre curas milagrosas. Em algum momento do desenvolvimento do Cristianismo, os curadores foram ou transformados em santos ou queimados na fogueira – dependendo da atitude na época.

Em algumas consciências de grupo, acredita-se que curar alguém com a energia do pensamento e oração é impossível. A partir disso, aprendemos que os medos, dúvidas e descrenças dos outros não realizarão nada. Ao contrário dos outros métodos de digging usados para encontrar bloqueios, esse método de digging é utilizado para reprogramar o cérebro a aceitar que o impossível pode ser alterado com o poder do pensamento focado e da oração.

Nesta exploração, aprendemos a trabalhar no que o subconsciente do indivíduo acha que é impossível; para ensiná-los que são as crenças na mente que mantêm essa realidade no lugar. Dessa maneira, o que parece impossível pode realmente se tornar possível. Em todos os níveis, você foi ensinado que isso era impossível, mas, de alguma forma, isso está errado.

A primeira coisa a ensinar a si mesmo é que algo é possível. As questões que podem surgir no trabalho de crenças com um cliente são medos, como: "as pessoas pensarão que eu sou diferente", "as pessoas tentarão me machucar", "se eu for diferente eu não me enquadrarei", por exemplo. Portanto, talvez você precise usar o trabalho de medo (a primeira abordagem do digging) para esclarecer questões sobre o impossível.

É importante desenvolver habilidades para utilizar qualquer uma das dez abordagens do digging em uma sessão, conforme a necessidade se apresentar.

Continue o trabalho de digging

Se o cliente expressar programas e crenças sobre o que acredita ser impossível durante o processo de digging, é útil modificar essas crenças, para que ele possa aceitar uma cura.

Diga ao cliente para evitar o uso das seguintes expressões, seja em suas declarações faladas ou pensamentos.

"Eu não posso..."
"Meu problema é..."
"Isso é impossível..."
"Sim, mas não funciona para mim."

Faça ao cliente as seguintes perguntas:

- O que aconteceria se...?
- O que aconteceria se você pudesse fazer isso?
- Por que isso é impossível?
- Quem lhe disse que isso era impossível?

Faça o *download* da crença "o impossível está concluído" e "é possível".

ABORDAGEM DE DIGGING 9: DIGGING NO PRESENTE – APRENDENDO COM DIFICULDADES

Nessa abordagem de digging você orienta o cliente a declarar seu atual problema e depois pergunta o que ele está obtendo com isso: "Quais benefícios você está obtendo das dificuldades que está experimentando?".

Para todas as dificuldades, há uma razão mais profunda pela qual elas ocorrem. Nossa alma está aprendendo com cada experiência de vida. Não importa para a alma se as experiências são boas ou ruins, mas importa o que adquirimos delas. Se pudermos aprender virtudes a partir de uma situação difícil, isso é bom para a alma; é por isso que é importante reconhecer as coisas boas que aprendemos de todas as dificuldades. Dessa forma, não precisaremos repetir as dificuldades em outras situações e poderemos nos desenvolver espiritualmente sem elas.

Inicie o trabalho de digging

Nesta abordagem de digging, você orienta o cliente a declarar o problema que ele está enfrentando no seu momento atual.

Depois você pergunta ao cliente o que ele está aprendendo com esse problema.

A seguinte sessão de trabalho de crenças é um bom exemplo:

Na sessão, o homem me disse que sua mãe havia se mudado para a sua casa e que ela o estava deixando louco. Perguntei para ele: "O que você está ganhando por ter a sua mãe em casa?".

Ele pensou por um tempo antes de responder: "Minha mãe era uma pessoa muito controladora quando eu era mais jovem. Ela controlou tudo na minha vida. Agora que ela está na minha vida, eu controlo tudo na vida dela. Meus irmãos e irmãs não vêm mais me ver porque não gostam dela, então agora não podem me pedir um empréstimo".

De repente, ele enxergou a situação que havia criado em um profundo nível subconsciente e como ela estava lhe servindo.

Ensinei-o a entender sua mãe, para que ele pudesse morar com ela. Eu também o ensinei a viver sem ter de controlá-la. Como resultado, o homem foi capaz de viver uma vida mais harmoniosa.

**Há muita coisa que pode ser mudada
ao trabalharmos em nós mesmos.**

Em outro caso, uma mulher veio a mim para uma leitura.

Mulher: "Por algum motivo, não consigo ganhar mais dinheiro do que estou ganhando atualmente. Estou bloqueada por algum motivo. Estou me divorciando e estou sofrendo muito".

Vianna: *"OK, feche os olhos e me diga: o que você está ganhando por estar sofrendo tanto?".*

Mulher: "Eu não ganho nada por isso. Eu estou lutando".

Vianna: *"OK, feche os olhos, suba e pergunte ao Criador: 'O que estou ganhando com essa luta?'".*

(Ela fechou os olhos por alguns momentos antes de falar.)

Mulher: "Desde que eu ganhe apenas tal quantidade de dinheiro, não preciso dar metade ao meu marido. Quando nos divorciarmos, poderei ficar com todo o dinheiro que ganho".

Essa percepção mudou a vida dela. Ela só precisava entender por que era tão difícil. E, quando o divórcio terminou, ela começou a ganhar muito dinheiro.

Em outra sessão, uma cliente estava procurando por uma alma gêmea e me pediu para ajudá-la.

Mulher: "Por que não encontro minha alma gêmea? Eu procurei e procurei por dez anos. Eu fiz de tudo. Por que não consigo encontrá-la?"

Vianna: *"O que você está ganhando por não ter uma alma gêmea?".*

Mulher: "Nada, eu quero uma!".

Vianna: *"Feche os olhos e pense. O que você ganha com isso?".*

(Ela pensou sobre, antes de falar.)

Mulher: "Enquanto eu estiver procurando por uma alma gêmea, não preciso ter uma. Eu gosto da minha casa. Eu gosto do jeito que vivo, mas todo mundo pensa que eu deveria ter uma alma gêmea. Porém, se eu encontrar uma alma gêmea, ele mudará a maneira como vivo e como sou. Eu não quero mudar".

Em 30 segundos, ela recebeu a resposta de por qual razão ela não estava conseguindo o que pensava que queria.

Em uma conversa, uma amiga me disse: "Não consigo perder peso", enquanto mastigava uma barra de chocolate.

Perguntei a ela: "O que você ganha por ser gorda?".

Ela olhou para mim e disse: "Você sabe que eu sou uma mulher mais velha. Se eu perder peso, ficarei enrugada. Eu não quero ser enrugada. Se eu perder peso, meu marido ficará mais ciumento e eu não quero ser uma ameixa seca".

O trabalho de crenças para dificuldades sempre mostrará as motivações ocultas que tentamos evitar enxergar.

Essa mulher veio até mim porque ela havia se divorciado cerca de 14 vezes; o marido a deixava na mesma época todos os anos.

Vianna: "Seu marido deixa você na mesma época todos os anos?".

Cliente: *"Sim"*.

Vianna: "E ele volta?".

Cliente: *"Sim"*.

Vianna: "Como isso acontece? Ele arruma todas as suas coisas e sai?".

Cliente: *"Sim. Ele me diz que deveríamos nos divorciar, e que eu deveria mudar meu nome e que é para sempre. Ele começa a vender nossa casa e depois volta e diz: 'Estamos casados de novo'"*.

Vianna: "Feche os olhos e me diga: o que você ganha com essa situação?".

Cliente: *"A primeira vez em que isso aconteceu, eu estava doente e retornei ao trabalho de cura. Primeiro, fiz psicoterapia e depois comecei a fazer ThetaHealing. Abri um novo centro e comecei a viajar. Quando ele decidiu me deixar, eu estava viajando, fazendo novos projetos e estava muito feliz. Quando ele decidiu voltar, eu me senti pesada no início, mas depois percebi que juntos nós temos melhores possibilidades na vida. Eu percebi que nos amamos. Mesmo assim, há duas partes de mim que estão brigando no casamento. Uma parte quer ser livre e a outra quer estar casada. E então o ciclo recomeça e as coisas ficam difíceis entre nós"*.

Vianna: "OK, quando ele vai embora você pode brincar um pouco e então é mais fácil fazer a sua cura. Você namora quando ele se vai?".

Cliente: *"Não, não quero mais ninguém. Quando ele se vai, ele fica com ciúmes de mim, mas se sente melhor do que quando está comigo".*

Vianna: "Então, você gosta que ele faça isso. Isso lhe dá liberdade, ajuda-a a realizar outros projetos e depois você recupera seu casamento".

Cliente: *"Quando nós voltamos é em novo nível, e diferente a cada vez".*

Vianna: "Desde que você esteja pronta para se divorciar, você não precisa se divorciar e mantém um pouco de sua liberdade".

Cliente: *"Sim, e não preciso de um novo homem em minha vida".*

Vianna: "Parece que isso mantém seu relacionamento muito interessante".

Cliente: *"Mas agora estamos cansados dessa situação".*

Vianna: "Vamos ver. Vou fazer o teste energético. Repita depois de mim: 'Estou cansada do meu marido me deixar e voltar'".

Cliente: *"Estou cansada do meu marido me deixar e voltar".*

(O teste energético dá uma resposta "Não".)

Vianna: "Diga: 'Eu gosto de ter uma folga do meu marido'".

Cliente: *"Eu gosto de ter uma folga do meu marido".*

(O teste energético dá uma resposta "Sim".)

Vianna: "Diga: 'Minha família está cansada dessa situação'".

Cliente: *"Minha família está cansada dessa situação".*

(O teste energético dá uma resposta "Sim".)

Vianna: "Meu pai e minha mãe estão cansados dessa situação".

Cliente: *"Eles não sabem disso".*

Vianna: "OK, quem mais sabe disso?".

Cliente: *"Meus filhos estão cansados dessa situação".*

(O teste energético dá uma resposta "Sim".)

Vianna: "Diga: 'Eu gosto dessa situação'".

Cliente: *"Eu gosto dessa situação".*

(O seu teste energético dá uma resposta "Sim".)

Vianna: "Diga: 'Enquanto essa situação continuar, meu marido e eu podemos continuar recomeçando e recomeçando'".

Cliente: *"Enquanto essa situação continuar, meu marido e eu podemos continuar recomeçando e recomeçando".*

(O teste energético dá uma resposta "Sim".)

Vianna: "Você gostaria de saber que ainda pode ter um pouco de sua liberdade sem essa situação e que pode recomeçar sem precisar se separar e voltar depois?".

Cliente: *"Sim".*

Vianna: Diga: "Meu casamento me deixa entediada."

Cliente*: "Meu casamento me deixa entediada".*

(O teste energético dá uma resposta "Sim".)

Vianna: "Gostaria de saber que você pode criar entusiasmo no seu casamento?".

Cliente: *"Sim, eu fico entediada".*

Vianna: "Podemos mudar o seu medo de ficar entediada?".

Cliente: *"Sim".*

Vianna: "Posso mudar a crença de 'estou entediada' para 'o casamento pode ser emocionante'?".

Cliente: *"Sim. Quando escolhi um marido, eu verifiquei se ele era difícil. Todos os homens que eu namorei que eram positivos também eram chatos".*

Como você pode ver, descobrimos o que ela estava tirando da situação e havia muitas coisas positivas. Depois, ensinamos a ela que poderia ter coisas positivas sem criar aquela situação. E então realizamos o teste energético com ela para ver se a situação havia acabado.

Vianna: "Diga: 'Eu preciso criar essa situação com o meu marido'".

Cliente: *"Eu preciso criar essa situação com o meu marido".*

(O teste energético dá uma resposta "Sim".)

Vianna: "Então, quando você acha que vai parar de criar essa situação? Em um ano? Dois anos?".

Cliente: *"Eu não consigo entender por que preciso dessa situação".*

Vianna: "Bem, você tem a chance de ser livre e criar".

Cliente: *"Quando eu estou viajando e estamos separados, sinto-me culpada, mas, quando ele vai embora, não me sinto culpada. Quando volto para casa, eu sou muito gentil".*

Vianna: "Você gostaria de mudar isso? Gostaria de saber que você pode viajar sem se sentir culpada e que vocês podem viajar juntos?".

Cliente: *"Eu quero viajar sem me sentir culpada, mas, quando viajamos juntos, eu tenho de pagar por tudo, porque ele nunca tem dinheiro".*

Vianna: "Mas vocês são casados. Vocês não compartilham dinheiro?".

Cliente: *"Eu ganho a maior parte do dinheiro no relacionamento".*

Vianna: "É o 'seu dinheiro' no relacionamento?".

Cliente: *"Sim".*

Vianna: "Mas você o ama. Quando você ama alguém, não há problema em viajar e compartilhar o dinheiro. Gostaria de saber que você pode ganhar tanto dinheiro que podem viajar juntos e assim ter a companhia dele? E você pode encontrar um equilíbrio no seu relacionamento para que ele se sinta importante?".

Cliente: *"Sim, e que eu terei o suficiente para mim, para ele e para meus filhos".*

Vianna: "Você gostaria de saber como compartilhar seu dinheiro com quem ama sem ficar ressentida e que você pode ganhar mais dinheiro estando junto com ele – sabendo que ele pode ajudá-la a ficar segura?".

Cliente: *"Sim".*

Vianna: "Diga: 'É errado que uma mulher ganhe mais do que um homem'".

Cliente: *"É errado que uma mulher ganhe mais do que um homem".*

(O teste energético dá uma resposta "Sim".)

Vianna: "Esse pode ser um programa genético. Gostaria de saber que é incrível ganhar dinheiro e que você pode ganhar dinheiro sem se sentir culpada e que isso pode ser aceito?".

Tínhamos encontrado o que ela estava tirando da situação, mas, como continuamos com o digging, descobrimos mais coisas para serem trabalhadas.

Vianna: "Que virtude você aprendeu dessa situação?.

Cliente: *"Estou aprendendo o perdão e a amá-lo completamente".*

Vianna: "Você aprendeu a compartilhar? A perdoá-lo?".

Cliente: *"Aprendi a como senti-lo e aprendi a clarividência porque consigo ler a sua mente. Aprendi a respeitar seu livre-arbítrio".*

Vianna: "Você também aprendeu a como ser uma grande curadora e que pode ter sucesso sozinha. Gostaria de saber que aprendeu com essas coisas? E você está pronta para aprender mais e para saber que isso está concluído? E você consegue reconhecer essas coisas?".

(A cliente está chorando.)

Cliente: *"Sim".*

Vianna: "E você gostaria de saber como deixar que ele a ame completamente?".

Cliente: *"Sim".*

Vianna: "Quando você viaja, não é que você não queira compartilhar com ele, mas você se sente usada. Você gostaria de ver as partes boas dele quando vocês viajam?".

Cliente: *"Sim".*

No final da sessão, a cliente sabia o que ela estava ganhando com o relacionamento e o que ela estava aprendendo com ele.

Aqui estão algumas perguntas que você pode fazer a si mesmo ou a um cliente para identificar quaisquer problemas de dificuldades desnecessárias:

- Por que você está permitindo que as pessoas o tratem assim?

- Por que você tem problemas financeiros?
- Por que você tem dificuldades com o amor?
- Como essa dificuldade está o ajudando?
- O que você está ganhando com isso?
- Por que você criou essa situação?
- Que virtude você está desenvolvendo com essa dificuldade?
- Como você pode desenvolver virtudes sem dificuldades?
- Você sabe qual é a sensação de viver sem dificuldades e ainda assim desenvolver virtudes?

ABORDAGEM DE DIGGING 10: APRENDENDO VIRTUDES

O que você está aprendendo com as dificuldades e os desafios? Que virtudes você está desenvolvendo com suas experiências?

O propósito da alma nesta vida é aprender virtudes e desenvolver habilidades. Como descrito anteriormente no livro, uma virtude é uma forma-pensamento leve, que nos permite criar. Esses pensamentos virtuosos nos libertam da âncora materialista do corpo. Pensamentos não virtuosos são pesados e bloqueiam nossas habilidades intrínsecas. Por exemplo, se você quer ser um curador melhor, vai precisar das virtudes de bondade, não julgamento e de cuidado pelos outros. Nós recebemos oportunidades para desenvolver virtudes ao longo de nossas vidas; o truque é desenvolvê-las sem ter de enfrentar situações difíceis.

A alma precisa desenvolver virtudes para poder alcançar seu tempo divino (necessário para a manifestação, como descrito anteriormente). Isso significa que tudo o que já fizemos é importante. Toda experiência – boa ou ruim – importa, pois nos ensina algo de bom.

Mas de que habilidades precisamos? Se perguntarmos ao Criador como ser um curador melhor, todo medo, dúvida e descrença sobre a cura podem ser citados. Mas, para sermos melhores curadores, precisamos ser gentis, tolerantes, pacientes, atenciosos e possuir a capacidade de interagir com outras pessoas sem julgamento.

Assim que tomamos consciência dessas virtudes, a alma começa a trabalhar para alcançá-las. Isso nos dá a oportunidade de trabalhar em busca das virtudes, para que o Universo não o faça por nós.

> **As únicas coisas que impedem que a cura aconteça são o medo, a dúvida, a descrença e a falta de virtudes.**

Inicie o trabalho de digging

Cada cliente com quem você interage é um trampolim para a ascensão da alma. Todo novo cliente oferece a você a oportunidade de desenvolver virtudes. Embora todo cliente possa nos ensinar algo novo sobre o processo de digging – que pode ser usado depois com outros clientes –, também é importante entender o que isso lhe ensina acerca de você mesmo e suas crenças. Embora o processo não deva ser sobre você, ainda é útil realizar o teste energético para crenças semelhantes *após a sessão*, que podem então ser compartilhadas com o cliente.

Exercício de Virtude

Faça um par com outra pessoa e reveze-se compartilhando o que está acontecendo em sua vida e o que aprendeu com essas experiências de vida.

Com cada experiência, fale qual virtude você ganhou com ela e sobre as virtudes que sua alma gostaria de desenvolver.

Em seguida, reveze-se no papel de praticante e realize o teste de energia para ver se a outra pessoa (no papel do cliente) recebeu o aprendizado, para que possam avançar dessa lição.

A DANÇA

O passo final no trabalho de crenças é reunir todos esses dez métodos de digging para que eles se tornem uma bela dança; uma arte de cura que beneficia não apenas o cliente, mas também você. Ninguém deve se sentir torturado em uma sessão de trabalho de crenças. Quando o cliente sai, ele deve estar irradiando alegria e conhecimento. Se você está trabalhando em si mesmo, você deve estar animado com isso. Se você souber aplicar todas as diferentes abordagens de digging em uma sessão, o cliente se sentirá seguro. E, ao continuar a fazer o trabalho de crenças em si mesmo, você se tornará um curador mais realizado e eficaz.

Conclusão: Sendo um *Thetahealer*

Lembre-se do que significa ser um *ThetaHealer*:

Um *ThetaHealer* trabalha com outras pessoas para descobrir crenças limitantes que as impedem de conseguir o que desejam.

Um *ThetaHealer* ensina aos outros como acolher suas crenças.

Um *ThetaHealer* ensina aos outros como pedir ajuda ao Criador.

Um *ThetaHealer* ensina aos outros como se tornarem seres divinos.

Um *ThetaHealer* ensina aos outros que é bom ir ao médico.

Um *ThetaHealer* ensina aos outros que não há problema em ir a um curador.

Um *ThetaHealer* ensina aos outros que não há problema em ver um espírito, que isso não é loucura, e como enviar o espírito para a luz.

Ensinamos as pessoas a viver e a se tornar quem realmente são.

Aqui vão alguns *downloads*:

"Sei qual é a sensação de colocar os interesses do meu cliente acima dos meus".

"Sei como cocriar com o Criador".

"Sei como procurar pela crença-chave a partir de uma perspectiva do Sétimo Plano".

"Sei como utilizar todos os métodos de trabalho de digging em uma sessão".

Glossário

Cadeia de crenças

Crenças empilhadas umas sobre as outras, que compõem um sistema de crenças. *Veja também* **sistema de crenças**.

Ciclo de sono

Um período de tempo, de geralmente oito horas, em que os estados profundos de sono Theta e Delta ancoram novos conhecimentos no cérebro.

Consciente

Estar plenamente consciente das ações e do eu. Existe a teoria de que a mente consciente controla apenas 10% do cérebro e o subconsciente controla os 90% restantes. *Veja também* **subconsciente**.

Crenças centrais

Um dos quatro níveis de crença. Padrões de comportamento que estão na mente subconsciente desta vida – e provenientes principalmente da infância – que se tornaram parte de nossos programas. Muitas vezes, este é um esforço por parte do subconsciente para nos proteger e nos manter seguros. Ao trabalhar neste nível, o praticante testemunhará as alterações no lobo frontal. *Veja também* **quatro níveis de crença**, **programas** e **subconsciente**.

Crenças de alma

Um dos quatro níveis de crença. Estes são os programas mais profundos entre todos os programas de crenças. Se uma crença é repetida em mais de um nível, ela pode ir até o nível da alma. Mesmo que sua alma seja de Deus, ela está sempre aprendendo. *Veja também* **quatro níveis de crença**.

Crenças genéticas

Um dos quatro níveis de crença. Crenças que herdamos de nossos pais e de nossos ancestrais, até sete gerações à frente e sete gerações atrás. *Veja também* **quatro níveis de crença** e **sete gerações à frente e sete gerações atrás**.

Crenças históricas

Um dos quatro níveis de crença. Essas crenças são de memórias de vidas passadas e existem muitas razões para elas, incluindo:

• Padrões de comportamento de mais de sete gerações no passado.

• Energias dos Registros Akáshicos.

• Memórias de consciência coletiva vindas de experiências pessoais de vidas passadas.

A energia de vidas passadas de outras pessoas é deixada como impressões de experiências passadas, que estão incorporadas em objetos inanimados. Em todo grão de areia, há lembranças de tudo o que já existiu na Terra – experiências de muitas vidas que carregamos para o presente. *Veja também* **quatro níveis de crença**.

Downloads

Processo de testemunhar afirmações positivas do Criador de Tudo o Que É, as quais vêm à mente como se fosse um computador. *Veja também* **Criador de Tudo o Que É**.

Estado Theta ou estado de onda cerebral Theta

Um estado muito profundo de relaxamento; um estado criativo e inspirador, caracterizado por sensações espirituais.

Grade de cristais

Técnica para recuperar memórias genéticas e de vidas passadas.

Juramento (ou voto)

Uma promessa ou afirmação solene. Uma declaração que pode ter sido feita em outra época ou local, ou feita por um ancestral, que pode ou não servir a alguém no presente.

Leitura intuitiva

Quando um *ThetaHealer* faz uma leitura intuitiva no corpo de outra pessoa para obter impressões do que está acontecendo com ela física, emocional, mental, espiritualmente e em seu futuro.

Linguagem corporal

Movimentos físicos que expressam as emoções e o estado de espírito de um indivíduo.

Livre-arbítrio

O livre-arbítrio é a capacidade de escolher em o que você acredita. É uma lei do Universo que não pode ser quebrada.

Manifestar

Imaginar o que você deseja e criá-lo.

O Criador de Tudo o Que É

A energia de amor mais inteligente e perfeita, na qual tudo que existe é criado.

Onda cerebral Theta

Um estado onírico (como de sonho) no qual as ondas cerebrais diminuem, ficando entre quatro e sete ciclos por segundo.

Planos de Existência

Em ThetaHealing, o termo é utilizado para descrever os sete diferentes planos ou reinos, que são separados pelo movimento dos átomos.

• Primeiro Plano: os átomos se juntam movendo-se lentamente para formar sólidos, por exemplo, minerais.

• Segundo Plano: os átomos começam a se mover mais rapidamente para formar plantas.

• Terceiro Plano: reino dos animais e das proteínas.

• Quarto Plano: reino espiritual.

• Quinto Plano: reino dos mestres iluminados.

• Sexto Plano: as Leis do Universo.

• Sétimo Plano: uma energia de Tudo o Que É, que se move em todas as coisas. O começo e o fim.

Programas

Padrões de comportamento criados pelas crenças em nossa mente.

Quatro níveis de crença

Existem quatro níveis diferentes de crença: crenças centrais, crenças genéticas, crenças históricas e crenças de alma. *Veja também* **crenças centrais, crenças genéticas, crenças históricas** e **crenças de alma**.

Sete gerações à frente e sete gerações atrás

Crenças genéticas que são alteradas em um nível genético e também alteradas sete gerações para a frente e sete para trás na linha genética. *Veja também* **crenças genéticas**.

Sétimo Plano da Existência

A pura energia da criação que se dobra em nosso Universo e cria *quarks,* que criam prótons, nêutrons e elétrons, que criam átomos, que criam moléculas.

Sistema de crenças

O conjunto de crenças de um indivíduo, ou de um grupo social, acerca do que é certo e errado e sobre o que é verdadeiro e falso.

Sistema de cura

Um processo de cocriação enquanto estamos em um estado Theta, a fim de testemunhar o Criador fazendo uma cura. Ajudar o corpo a curar e se recuperar. *Veja também* **Criador de Tudo o Que É** e **estado Theta**.

Subconsciente

A parte da mente que comanda os sistemas autônomos do corpo, bem como alguns sentimentos e memórias. Seu principal objetivo é nos manter seguros e vivos. A atividade mental logo abaixo do limite da consciência. *Veja também* **consciente**.

Tempo divino

Conhecer o seu destino e permitir que o Universo entre em ação e o ajude.

Teste de energia

Um processo em Thetahealing para testar a existência de sistemas de crenças. *Veja também* **sistema de crenças**.

Trabalho de crenças

Um processo de remover e substituir sistemas de crenças.

Trabalho de digging

Um processo para encontrar uma cadeia de crenças que estão empilhadas umas sobre as outras e alterar a crença-chave ou raiz. *Veja também* **cadeia de crenças**.

Trabalho de liberação

Liberar emoções ou programas antigos. *Veja também* **programas**.

Trabalho de sentimentos

Um processo para ensinar sentimentos a partir da perspectiva do Criador. Por exemplo: a perspectiva de Deus sobre virtudes, como bondade, paciência, não julgamento, etc. *Veja também* **Criador de Tudo o Que É**.

Trabalho genético

Um processo para influenciar positivamente a estrutura de um carma genético. Existem três tipos de carma:

- Carma do agora.
- Carma genético.
- Carma de vidas passadas.

O carma do agora é formado por coisas feitas no presente, que criam carma. Por exemplo, se você trata alguém mal, a pessoa o trata mal em troca. O carma genético significa uma característica herdada de um ancestral, bem como o carma associado a essa característica. O carma de vidas passadas ocorre quando trazemos para esta vida o carma de uma vida passada. Essas são crenças hindus antigas, mas nos tempos modernos isso é conhecido mais familiarmente como causa e efeito.

Verdades absolutas

Uma verdade que é absoluta, como o nascer do Sol, que a Terra girará ou que um cachorro é um cachorro.

Votos

Veja Juramento.

Referências

1. Jha, A. 2005. "Where belief is born." Disponível em: <www.theguardian.com/science/2005/jun/30/psychology.neuroscience>; acesso em 21 de janeiro de 2019.
2. "10 Huge Benefits of Theta Binaural Beats." Disponível em: <www.binauralbeatsfreak.com/brainwave-entrainment/the-benefits-of-theta-binaural-beats>; acesso em: 21 de janeiro de 2019.
3. Hughes, V. 2013. "Mice Inherit Specific Memories, Because Epigenetics?" Disponível em: <www.nationalgeographic.com/science/phenomena/2013/12/01/mice-inherit-specific- memories-because-epigenetics/>; acesso em 21 de janeiro de 2019.
4. Birney, E. 2015. "Study of Holocaust survivors finds trauma passed on to children's genes." Disponível em: <www.theguardian.com/science/2015/aug/21/study-of-holocaust-survivors-finds- trauma-passed-on-to-childrens-genes>; acesso em 21 de janeiro de 2019.
5. Gabbatiss, J. 2018. "Interstitium: New organ discovered in human body after it was previously missed by scientists." Disponível em: <www.independent.co.uk/news/health/new-organ- human-body-interstitium-cancer-skin-scientists-discovery-new-york-a8275851.html>; acesso em 30 de janeiro de 2019.

Recursos

Curso de ThetaHealing®

O ThetaHealing é uma modalidade de cura energética fundada por Vianna Stibal, com instrutores certificados ao redor do Mundo. Os seminários e livros do ThetaHealing são projetados como um guia terapêutico de autoajuda para desenvolver a capacidade da mente de curar. O ThetaHealing inclui os seguintes cursos e livros:

Cursos de ThetaHealing® ministrados por instrutores certificados em ThetaHealing®

Curso para praticantes de ThetaHealing DNA Básico (DNA 1 e 2)

Curso para praticantes de ThetaHealing DNA Avançado (DNA 2)

Curso para praticantes de ThetaHealing Manifestação e Abundância

Curso para praticantes de ThetaHealing Anatomia Intuitiva

Curso para Praticantes de ThetaHealing Crianças Arco-Íris

Curso para Praticantes de ThetaHealing Doenças e Desordens

Curso para Praticantes de ThetaHealing Relações Mundiais

Curso para Praticantes de ThetaHealing DNA 3

Curso para Praticantes de ThetaHealing Animal

Curso para Praticantes de ThetaHealing Aprofundando no Digging

Curso para Praticantes de ThetaHealing Plantas
Curso para Praticantes de ThetaHealing Alma Gêmea
Curso para Praticantes de ThetaHealing Ritmo – Peso Perfeito
Curso para Praticantes de ThetaHealing Planos da Existência
Seminário de ThetaHealing Você e Seu Parceiro
Seminário de ThetaHealing Você e o Criador
Seminário ThetaHealing Você e Seu Círculo Íntimo
Seminário ThetaHealing Você e a Terra

Seminários de certificação ministrados exclusivamente por Vianna no ThetaHealing® Instituto of Knowledge (THInK)

Curso para instrutores ThetaHealing DNA Básico (DNA 1 e 2)
Curso para instrutores ThetaHealing DNA Avançado (DNA 2)
Curso para Instrutores ThetaHealing Manifestação e Abundância
Curso para Instrutores ThetaHealing Anatomia Intuitiva
Curso para Instrutores ThetaHealing Crianças Arco-Íris
Curso para Instrutores de ThetaHealing Doenças e Desordens
Curso para Instrutores de ThetaHealing Relações Mundiais
Curso para Instrutores de ThetaHealing DNA 3
Curso para Instrutores de ThetaHealing Animal
Curso para Instrutores de ThetaHealing Aprofundando no Digging
Curso para Instrutores de ThetaHealing Plantas
Curso para Instrutores de ThetaHealing Alma Gêmea
Curso para Instrutores de ThetaHealing Ritmo – Peso Perfeito
Curso para Instrutores de ThetaHealing Planos da Existência
Curso para Instrutores de ThetaHealing Você e Seu Parceiro
Curso para Instrutores de ThetaHealing Você e o Criador

Curso para Instrutores ThetaHealing Você e Seu Círculo Íntimo

Curso para Instrutores ThetaHealing Você e a Terra

O ThetaHealing está sempre crescendo e expandindo, e novos cursos são adicionados com frequência. Por favor, visite <www.thetahealing.com e www.brasilthetahealing.com> para obter as atualizações mais recentes.

Livros

ThetaHealing® (Hay House, 2006, 2010/Madras, 2014)

ThetaHealing® Avançado (Hay House, 2011/Madras, 2015)

ThetaHealing® Doenças e Desordens (Hay House, 2012/Madras, 2016)

On the Wings of Prayer (Hay House, 2012)

ThetaHealing® Rythm for Finding Your Perfect Weight (Hay House, 2013)

Sete Planos da Existência (Hay House, 2016/Madras, 2019)

THInK®
THETAHEALING® INSTITUT OF KNOWLEDGE
ATANAHA
29048 BROKEN LEG ROAD, BIGFORK, MONTANA, 59911, EUA

ESCRITÓRIO: +1 (406) 206 3232

E-MAIL: INFO@THETAHEALING.COM

WEB: WWW.THETAHEALING.COM

Sobre a Autora

Vianna Stibal é a criadora e fundadora da filosofia espiritual, meditação e técnica de cura conhecida como ThetaHealing®. Uma renomada curadora, autora e palestrante motivacional, Vianna realiza seminários com o marido, Guy, por todo o mundo, para pessoas de todas as raças, crenças e religiões. Desde 2019, ela treinou milhares de instrutores e cerca de 600 mil praticantes, que estão trabalhando em mais de 180 países.

A técnica de Vianna leva a mente a um profundo estado Theta (estado de sonho) instantaneamente. Utilizando esse estado, ela ensina seus alunos a restabelecer sua conexão consciente com o Criador de Tudo o Que É, para facilitar mudanças espirituais, mentais, emocionais e físicas.

Depois de testemunhar sua própria cura, Vianna descobriu como as emoções e crenças nos afetam nos níveis central, genético, histórico e da alma. A partir desta descoberta, nasceu o trabalho de crenças que se tornou o coração e a alma do ThetaHealing.

O trabalho de crenças é um guia para encontrar o que acreditamos, por que acreditamos e como alterar crenças, remover doenças, entender o verdadeiro plano do Criador e criar a realidade que desejamos.

Vianna ensina que somos centelhas divinas de Deus criando nossa própria realidade e que tudo em nossa vida serve a um propósito. Ela se dedica a compartilhar seu amor pelo Criador de Tudo o Que É, com um humor honesto e uma bondade genuína. Seus treinamentos e livros mudam vidas e continuam a ajudar pessoas por todo o mundo.

<www.thetahealing.com>

Sobre os Tradutores

Giti Bond   Gustavo Barros

Giti Bond e Gustavo Barros, tradutores deste livro, são os pioneiros do ThetaHealing no Brasil e instrutores certificados como "Master and Science" (Mestrado e Ciência) no ThetaHealing pelo THInK – ThetaHealing Institute of Knowlodge no Estados Unidos.

Em 2010, na missão de trazer a formação completa para o país, ambos fundaram o Instituto Portal Healing Brasil, nas cidades do Rio de Janeiro e São Paulo, onde ministram todos os cursos de ThetaHealing para praticantes.

Além disso, ministram cursos em diversos estados do Brasil e do mundo.

Giti Bond e Gustavo Barros são os coordenadores de Vianna Stibal no Brasil na formação de instrutores.

Portal Healing
BRASIL

Livro traduzido e distribuído no Brasil pelo Portal Healing Brasil.
Travessa Carlos de Sá, 10 – Catete
Rio de Janeiro – RJ – Brasil
Tels: 4003-3065 (Número nacional)
(21) 3071-5533/(21) 3071-4055 – RJ
Secretaria: (21) 98569-6087
Info: (21) 98494-9456
Produção: (21) 97997-2646
www.portalhealing.com.br
info@portalhealing.com.br

Leitura Recomendada

Thetahealing® Doenças e Desordens
Vianna Stibal

Este é um guia definitivo para liberação das doenças a partir de uma perspectiva intuitiva, sendo complementar aos livros de DNA Básico e DNA Avançado de *ThetaHealing*, que introduziram esta técnica de cura surpreendente e suas poderosas aplicações para um público global. A ferramenta de referência perfeita para aqueles já familiarizados com o passo a passo do ThetaHealing.

Thetahealing®
Uma das Mais Poderosas técnicas de Cura Energética do Mundo

Vianna Stibal

A ciência moderna está chegando a uma era de iluminação. Novas vias de pensamento estão emergindo, e a visão antiga de que a mente e o corpo são separados está se desintegrando. A consciência de que as emoções, os sentimentos e o poder do pensamento têm uma relação de sustentação e influência direta em nossa saúde física está se tornando parte do pensamento dominante.

Thetahealing® Avançado
Utilizando o Poder de Tudo o Que É

Vianna Stibal

Em seu primeiro livro, Vianna Stibal, a criadora do ThetaHealing®, apresentou esta técnica incrível para o mundo. Baseado em milhares de sessões com os clientes que experimentaram curas notáveis com Vianna, esse acompanhamento abrangente é uma exploração em profundidade do trabalho e dos processos centrais para ThetaHealing®.

www.madras.com.br

MADRAS® Editora

Para mais informações sobre a Madras Editora, sua história no mercado editorial e seu catálogo de títulos publicados:

Entre e cadastre-se no site:

www.madras.com.br

Para mensagens, parcerias, sugestões e dúvidas, mande-nos um e-mail:

marketing@madras.com.br

SAIBA MAIS

Saiba mais sobre nossos lançamentos, autores e eventos seguindo-nos no facebook e twitter:

@madrased

/madraseditora